MI COCINA

ligera

a la manera de Caracas

MI COCINA

ligera

a la manera de Caracas

ARMANDO SCANNONE

MI COCINA

ligera

a la manera de Caracas

CARACAS-VENEZUELA 2010

MI COCINA LIGERA A LA MANERA DE CARACAS
Armando Scannone
Caracas, 2010

1° edición, 08-2010
2° edición, 11-2010

Armando Scannone T.
Avenida Francisco de Miranda
Edificio EASO. El Rosal.
Caracas-Venezuela.
Telf.: (212) 951.4192
ascannone@gmail.com

ISBN
978-980-6476-32-5

Depósito Legal
LF3120106412491

Fotografías
Pedro Martínez y Morella Scannone

Diagramación y Montaje Electrónico
Chávez & López Diseño Gráfico, C.A.
chavezylopez@gmail.com

Pre-prensa, impresión y Encuadernación
Editorial Arte, S.A.
Telf.: (212) 319.4074
jgomez@solgra.com

DEDICATORIA

A la memoria de mi madre, Antonieta Tempone de Scannone, paciente con diabetes durante gran parte de su vida. Su recuerdo me acompañó al elaborar cada página de este libro, identificándome a la vez, con cada uno de los usuarios.

ÍNDICE GENERAL

AGRADECIMIENTOS

A la Fundación Seguros Caracas y a su Consejo Directivo que, con su patrocinio y como parte de su programa prioritario de atención al paciente con diabetes, hicieron posible este libro.

Al Dr. Octavio Calcaño S. y a Gerardo Perozo, Miembro del Consejo Directivo y Gerente General, respectivamente, de la Fundación Seguros Caracas, quienes me propusieron la idea de elaborar este libro y confiaron en mi para llevarlo a cabo.

Deseo expresar de modo muy especial, mi más sincera gratitud, por la honrosa participación del Doctor Armando Pérez Monteverde, eminente y prestigioso Médico Endocrinólogo, al enaltecer esta publicación con el Prólogo, que es, además, una certera y autorizada visión, de lectura recomendada para toda persona que necesite o desee comer saludablemente, y además, disfrutarlo. Su gesto nos ha conmovido hondamente y ha contribuido, aún más, a nuestro entusiasmo al elaborar y presentar este libro.

A la Lic. Luisa Alzuru, Nutricionista Clínico y Magister en Nutrición, que me prestó una valiosa y cuidadosa colaboración en lo relativo a Nutrición. A ella mi más sincero agradecimiento por su generosa y cabal contribución.

A María de Lourdes Cartaya, Educadora en Diabetes, que estuvo siempre presente con generosidad y paciencia, animándome y prestándome en todo momento su colaboración y asistencia, en esa disciplina tan importante y cada día más necesaria para los pacientes con diabetes. Agradeceré siempre sus consejos, preocupación y desvelo, para lograr siempre la excelencia.

A la Lic. Cynthia Figuera, Nutricionista Clínico, por su generosa y valiosa contribución en la revisión de los Análisis Nutricionales.

A Germán Carrera Damas, por su aliento, apoyo y generosidad.

A Rosario Santander, Coordinadora de Proyectos de Responsabilidad Social de la Fundación Seguros Caracas, por su permanente y beneficiosa asistencia.

A Gladys Baptista, por su valiosa dedicación en la transcripción del texto.

A Adolfo López, por su eficiente y creativa asistencia administrativa y en sistemas.

A Pedro Martínez y Morella Scannone de Martínez, que paciente y muy profesionalmente, lograron un excelente, estético y representativo material fotográfico.

A María José Chávez de Scannone y María Carolina López de Ferraro, que con especial creatividad, lograron diagramación moderna, placentera y didáctica.

A Héctor Scannone, Adriana Scannone y a Carolina Marcano por su laboriosa y oportuna ayuda de revisión.

Y de modo muy especial:
Al equipo, comandado por Magdalena Salavarría, e integrado por Alexander Valderrama, Diana García y Carolina Marcano, por su paciencia y empeño en lograr una comida adecuada y apetitosa para aquellas personas y sus familias, que deseen comer sano y sabroso, y para quienes es importante la buena salud y el disfrute compartido. Así mismo, a Pedro Díaz y a Pablo Díaz, por su apoyo y asistencia.

A José Luis Álvarez y a Mercedes Oropeza, por su consecuente apoyo.

Cuando recibí la invitación de Armando Scannone para escribir el prólogo de su tan esperado libro **"Mi Cocina Ligera, a la manera de Caracas"** me sentí emocionado no sólo por el gran gusto y por el honor que me ha brindado su autor, sino también por la alegría de poder contar con un libro que ofrece a todas aquellas personas que tienen problemas crónicos de sobrepeso, obesidad, hipertensión arterial, enfermedad cardiovascular y principalmente diabetes o prediabetes, una magnífica referencia de apetitosas recetas ligeras, basadas en sus recetas criollas y caraqueñas que forman parte de su afamada biblioteca culinaria, usada diariamente por los venezolanos amantes de la buena mesa.

Este libro le enseñará a preparar sus recetas favoritas siguiendo su plan alimenticio, el cual ajustará y diseñará un especialista en nutrición tal cual como si fuese un sastre o una modista, plan que le proporcionará los nutrientes adecuados y necesarios de acuerdo a su padecimiento.

El libro está dedicado a todas aquellas personas que deseen mantenerse en forma. En caso de padecer diabetes logrará un control de glicemia apropiado y una mejoría en sus valores de colesterol y triglicéridos, en caso de prediabetes permitirá perder o mantener el peso y de esta manera evitar el desarrollo de la enfermedad, si padece de hipertensión controlará la presión arterial y le evitará el riesgo de sufrir problemas cardíacos, renales o cerebro vasculares.

Don Armando le ha dedicado meses de estudio y de preparación a cada una de las recetas contando en todo momento con la asesoría de una extraordinaria nutricionista la Licenciada Luisa Alzuru, quien tiene un currículo académico insuperable, y con la cual trabajo desde hace varios años, y de una educadora entregada a la enseñanza y apoyo de personas con diabetes, la licenciada María de Lourdes Cartaya, quien se dedica a enseñar al sujeto con diabetes la importancia de poseer el poder del auto control sobre la glucosa en sangre, siendo su más alta calificación la de ser madre de un niño con diabetes tipo 1.

Armando se ha dedicado a este proyecto con pasión, dedicándole más tiempo del que tiene cuidando la elaboración de cada una de las recetas, incluyendo el contenido exacto de grasas, proteínas y carbohidratos para que el lector pueda aplicar su propio plan alimenticio. Cada plato es de sencilla preparación, de fácil digestión por su contenido bajo en grasas y alto contenido de fibra, y lo mas importante es que utilizando su sazón única y especial tan venezolana ha logrado recetas ligeras semejantes a una comida rica en calorías ¿Quién ha dicho que un diabético, cardiópata, obeso o hipertenso, no pueda comer sabroso?

Al considerar a la persona que padece de diabetes mellitus debemos tener en cuenta que el éxito terapéutico dependerá del cumplimiento de su plan alimenticio y por ello quiero simplemente comentarles algo sobre la historia de esta enfermedad, la cual en la actualidad es de fácil control proporcionándole una calidad de vida similar a cualquier persona que no la padezca.

Antes del descubrimiento de la insulina en 1921-1922 por Frederick Banting eminente cirujano y Charles Best joven estudiante de Ciencias, ambos de la Universidad de Toronto Canadá, el único tratamiento disponible para la diabetes era la restricción alimenticia extrema, particularmente de carbohidratos. Los pacientes de edad lograban una mejoría discreta por corto tiempo y aquellos jóvenes y niños con diabetes tipo 1 morían de desnutrición en semanas o meses. A comienzos del siglo XX hospitalizaban a los enfermos de diabetes para "liberarlos del azúcar", las dietas contenían un mínimo de carbohidratos y el aporte calórico era básicamente de grasas y proteínas lo cual agravaba la condición del paciente por acidificación de la sangre y desnutrición.

Frederick Allen investigador de Harvard y posteriormente del Rockefeller Institute a comienzos del siglo XX, escribió lo siguiente :

"En los casos más graves la escogencia estaba entre muerte por la diabetes o muerte por inanición".

Su recomendación era que en los casos graves, "la mejor forma para salvar la vida ante la inanición, era comenzar a partir del diagnóstico con una desnutrición persistente y moderada".

Aunque en el presente siguen indicando a los obesos dietas ricas o únicas en proteínas y grasas con fines de reducir peso en forma rápida, estas dietas no son recomendadas en diabéticos debido a que la enfermedad es un trastorno no sólo del metabolismo de los carbohidratos, sino también del metabolismo de las proteínas y grasas, pudiendo alterar los niveles de colesterol y triglicéridos en sangre con el consiguiente aumento de riesgo de eventos cardiovasculares. Hay suficiente evidencia actualizada de que estas dietas no pueden mantenerse por mucho tiempo ya que la recuperación de peso es rápida y mayor a lo perdido, con consecuencias clínicas de peligro.

La mejor manera de evitar la diabetes sigue siendo la pérdida de peso en el obeso, con cambios de estilo de vida incluyendo una dieta balanceada y sana con bajas porciones de alimentos y ejercicio rutinario como caminar 150 minutos por semana como disponen las Asociaciones Médicas Internacionales.

Recientemente, la Dra Allison Goldfine del Centro de Diabetes Joslin en Boston EUA, expresó que desde la última cena de Jesucristo, desde hace dos milenios, las porciones de alimentos han aumentado en un 69% y la porción de pan, en un 23%.

El problema de obesidad en el mundo y en Venezuela es grave, es la primera y más importante causa de diabetes tipo 2, en el presente diagnosticada inclusive en niños y adolescentes, pudiendo generar en un futuro próximo en ellos enfermedad cardiovascular y renal entre los 20 y 40 años.

Afortunadamente, los grandes avances en investigación en el manejo y tratamiento adecuado de la diabetes, permiten una vida plena, de ciertas limitaciones, pero con calidad de vida, sin complicaciones y con un aumento sustancial del promedio de vida. Un control adecuado de la glucosa en sangre es posible con un régimen preestablecido, contando carbohidratos y aplicando tratamiento con antidiabéticos orales o insulinas inyectadas una o varias veces al día.

Don Armando ha tenido la sabiduría y la tenacidad de producir una obra maestra con una base científica actualizada digna de ser reconocida por sociedades académicas. La presentación de cada una de sus recetas con la asesoría directa de connotados especialistas, proporciona un contenido exacto de calorías, carbohidratos, proteínas y grasas, así como del índice glucémico de cada alimento y del contenido de minerales y oligoelementos. Inclusive, se ha permitido la inclusión de alcohol, basándose en recomendaciones aceptadas en la actualidad.

El autor con su amplísima experiencia, habilidad culinaria y particular sazón, nos presenta una obra verdaderamente excepcional, plasmada en un libro práctico, de fácil lectura, de hermosas fotografías y con una intención humanitaria y llena de amor para quien sienta frustración por la restricción de comer sabroso, variado y de excelente calidad . Con este libro no solo se beneficiarán aquellos con diabetes sino todos aquellos que desean perder peso para prevenir la enfermedad o simplemente cuidarse para mantener un peso estable, controlar mejor su presión arterial, tener calidad de vida y evitar enfermedades a futuro.

La renombrada Psicóloga y Antropóloga norteamericana Margaret Mead (1901-1978) dijo:

"Es más fácil cambiar la religión de un hombre que cambiar sus hábitos alimenticios".

Gracias a la obra de Don Armando podremos hacer cambios importantes en nuestra manera de comer y así evitar enfermedades o sus complicaciones.

Recuerden que **"Somos lo que comemos"**.

Armando Pérez-Monteverde

Al elaborar **"Mi Cocina Ligera, a la manera de Caracas"**, me propuse que los alimentos preparados con las recetas que contiene, al igual que en otros libros de mi autoría sobre la materia, sean placenteros, apetecibles, apetitosos y saludables, y aunque ligeros, que cumplan esos requisitos, pero también, que sean nutricionalmente balanceados en sus contenidos de carbohidratos, proteínas, grasas y fibra, y especialmente adecuados a las personas con diabetes, a la vez que puedan ser disfrutados por toda la familia en la comida principal de cada día, de acuerdo con sus usos o costumbres.

Se trata de comida ligera, no de comida de dieta, ni menos tratar de establecer una dieta permanente. Al contrario, deseo combatir la idea de que sea necesario someter la alimentación de personas con diabetes, y a otros usuarios y a sus familias, a un régimen de permanente dieta. Es cierto que algunos alimentos se restringen, pero se pueden compensar con lo apetitoso de otros.

Presentamos un total de 37 Menús que incluyen 5 Menús Navideños, conformados con platos usuales en Venezuela en los días de Navidad y Año Nuevo y algunas opciones individuales, en total unas doscientas. En todo caso, se indica el análisis nutricional de cada menú completo y el de la ración correspondiente en cada plato o receta, lo que permitirá conformar muchos otros menús igualmente adecuados.

Los Menús han sido conformados, en general a partir de un menú tipo, básico, cuya composición cumple con una parte de los requerimientos nutricionales diarios de una persona (Pág. 47), para ser utilizados en la comida principal del día, de manera que cada uno aporta aproximadamente, entre 500 y 650 calorías y en general, preparados y probados, con platos corrientes, para satisfacer las necesidades diarias y permanentes de las personas con diabetes y otras condiciones de salud, o con exceso de peso, o que quieran estar siempre bien alimentadas y en forma, al igual que a sus familias, pues este libro es para todos, permitiendo organizar e implantar, una alimentación familiar diaria, con estrictas exigencias para ser variada, nutritiva, equilibrada y apetitosa, y a la vez, disfrutar plenamente, todos por igual, el placer de comer lo mismo y reunidos, uno de los objetivos más importantes que me he impuesto en esta publicación.

Es muy importante, tener en cuenta que este libro no tiene por objeto reemplazar la relación entre la persona con diabetes y su equipo tratante: Médico, Nutricionista y eventualmente Educador de Personas con Diabetes; por el contrario, pretendo que sea una herramienta que facilite esa relación, así como la programación y preparación de la comida familiar.

El libro contiene las Listas de Alimentos e Intercambios similares a las acogidas por la "American Diabetes Association" y por la "American Dietetic Association", en las cuales todos los alimentos de una misma clase, agrupados en dichas Listas, puede ser **sustituto, intercambio** o **equivalencia,** de cada uno de los alimentos del respectivo Grupo o Lista. De allí que como se indica en el Capítulo "Cómo Utilizar el Libro", (Pág. 47), denominaremos **porción** la cantidad de alimento que, en cada una de dichas "Listas de Alimentos e Intercambios" (Pág. 33), según su clase, aporta aproximadamente la misma cantidad de nutrientes. Así mismo, denominaremos **ración**, la cantidad permitida de cada alimento en un determinado Menú o Receta de los contenidos en este libro y sólo para ese determinado Menú o Receta.

Las recetas son todas bajas en grasa, utilizando siempre aceite extra virgen de oliva, pero estando siempre atentos al contenido de grasa que corresponda a cada ración, y recordando que un alimento libre o bajo en grasa, no significa que esté libre o bajo en calorías ni carbohidratos. Se han evitado las grasas saturadas y trans. Hemos evitado también, en general, el uso de envasados y de alimentos industrializados.

La persona con diabetes no tiene porque ser discriminada a la hora de comer, ni debe estar condenada a una dieta permanente, de una comida insípida, sin placer. Tampoco debe eliminar para siempre algunos alimentos. Al contrario, podrá aceptar unas normas de vida satisfactorias, que le permitirán disfrutar con placer una comida nutricionalmente equilibrada y en cantidad apropiada a sus necesidades, para tener una vida saludable y satisfactoria. Restringiendo, eso sí, algunos alimentos en cantidad y frecuencia; pero sin sentir que vive siempre bajo régimen; lo que, a la vez, le permita mantener la forma y el peso apropiados; evitando complicaciones de la salud a las que, por la diabetes, podría eventualmente estar expuesta.

Es imprescindible que la persona con diabetes sea controlada en forma permanente y con entrevistas frecuentes, por su equipo tratante: médico, nutricionista y educador de personas con diabetes, quienes, además de enseñarle cómo manejar su medicación, alimentación y actividad física, deberán ser consultados cada vez que se necesite, y ser orientada, además, en caso de cualquier variación en el estilo de vida, de alguna enfermedad, cambios de rutina, etc. y así, poder hacer los ajustes cómo y cuándo sean necesarios.

Algunas recetas contienen azúcar en vez de edulcorantes, en cantidades mínimas, que dependerá del menú en el cual está incluído dicho plato, lo que, en general, ha sido tomado en cuenta en el análisis nutricional. En todo caso, debe consultarse su uso al médico y al nutricionista.

Se ha dado mucha importancia a la información visual, con el objeto de ayudar a todos a adquirir práctica, rápidamente, en la cantidad a servirse en cada caso; utilizando siempre platos corrientes: hondos, llanos y de ensalada o postre; cuyas fotos y dimensiones se encuentran en el capítulo "Medidas y Equivalencias"; lo que permite, además de tener el peso o medida de la ración, figurarse claramente, de forma visual, el tamaño recomendado de la ración indicada del respectivo plato; lo cual es muy conveniente, en el caso de comer fuera o en restaurantes. (Pág. 41).

Sin embargo, se recomienda, especialmente mientras no se manejen visualmente con soltura las raciones de alimentos a ser servidas a la persona con diabetes, medir el volumen y/o el peso de los ingredientes de cada receta, así como el de la ración indicada. Por eso, en capítulo aparte, se muestran los implementos o utensilios que deben estar disponibles en la cocina, para ser utilizados en la medición de los ingredientes y de las raciones correspondientes.

Se incluyen además recomendaciones generales que conviene tener en cuenta siempre (Pág. 51).

Deseo que este libro, pueda prestar a las personas con diabetes y a sus familias, así como a todas aquellas pendientes de controlar su peso y salud, una herramienta confiable y fácil para lograr una alimentación satisfactoria, sabrosa y saludable.

Así mismo, deseo que los médicos y demás profesionales especialistas en alimentación y su relación con la buena salud, puedan encontrar en este libro una ayuda confiable y fácilmente manejable para su ejercicio, frente a una dolencia cada día más presente a escala mundial que constituye, realmente, un problema de salud pública en todo el mundo.

diabetes
Y TENER DIABETES

La diabetes es una condición crónica, ésto quiere decir que dura toda la vida, en donde el organismo es incapaz de producir, utilizar o almacenar adecuadamente la glucosa (una forma de azúcar), lo que hace que los niveles de la misma aumenten en la sangre, ocasionando diversos problemas. Hasta el momento no tiene cura, pero si se puede controlar.

Nuestro cuerpo posee una glándula llamada páncreas, situada detrás del estómago, que es la encargada de producir la hormona llamada insulina, responsable de permitir el paso de la glucosa, que se encuentra en la sangre, a las distintas partes de nuestro cuerpo. Cuando ésta no se produce de forma suficiente o trabaja de forma inadecuada ocasiona que se eleven los niveles de glucosa en la sangre.

Existen principalmente dos tipos de diabetes:

Diabetes tipo 1, donde el cuerpo deja de producir insulina y las personas deben inyectarse dosis diarias de esta hormona para poder vivir. Se observa con mayor frecuencia en niños y adultos jóvenes.

En la **Diabetes tipo 2**, el cuerpo no produce suficiente insulina y/o ésta no trabaja de forma adecuada. Esta forma de diabetes se observa con mayor frecuencia en adultos mayores de 40 años con sobrepeso y con historia familiar de diabetes tipo 2, pero sabemos ahora que también puede afectar a jóvenes y niños.

El exceso de glucosa en la sangre produce en la persona diversos síntomas como: sed intensa (polidipsia), orinar grandes volúmenes con frecuencia (poliuria), aumento de ganas de comer (polifagia), fatiga, visión borrosa, entre otros. Sin embargo, en la diabetes tipo 2, puede no haber síntomas aparentes y la persona puede vivir años sin saber que tiene diabetes, ya que la diabetes aparece de forma gradual y la persona no se percata de los síntomas.

Algunas personas están en riesgo de presentar diabetes: Cuando se tiene familiares cercanos con diabetes, hábitos de alimentación no saludables y sedentarismo, sobrepeso u obesidad, tener el colesterol alto u otras grasas elevadas, presión arterial alta y aquellas mujeres que han presentado diabetes gestacional (diabetes durante el embarazo) o que tuvieron hijos de más de 4 Kg al nacer, tienen mayor posibilidad de presentar diabetes tipo 2.

Para conocer si una persona tiene diabetes, se necesita hacer una prueba de laboratorio donde se mida el nivel de glucosa en sangre llamado glicemia. Esta prueba debe realizarse en ayuno de 12 horas. Los valores normales de glicemia en ayunas, deben estar no más de 100mg/dl. Cuando los valores se encuentran entre 101 y 125 mg/dl, decimos que existe una glucosa en ayunas alterada y se indica una prueba de tolerancia a la glucosa, si se comprueba la intolerancia se diagnostica a la persona con prediabetes. Hablamos de diabetes si el valor de glicemia en ayunas es mayor o igual a 126 mg/dl. El diagnóstico se hace teniendo en cuenta dos niveles de glicemia en ayunas iguales o por encima de 126 mg/dl en distintos días.

Los pacientes con diabetes tipo 1 o tipo 2 deben de tener en cuenta ciertos componentes básicos de su tratamiento, para mantenerse bajo control y así prevenir, detener o retrasar, las complicaciones de la diabetes. Entre las bases de su tratamiento están: 1) Una alimentación sana y equilibrada, para lo cual es fundamental la consulta con un especialista en nutrición; 2) Actividad física de manera regular; 3) Tomar los medicamentos recetados por el médico tratante, ya sea insulina o antidiabéticos orales; y 4) Acudir a la consulta médica, por lo menos una vez cada seis meses. Igualmente visitar a la educadora en diabetes, que lo ayudará a entender y aprender sobre su condición, parte fundamental en el tratamiento de la misma.

Para conocer, si realmente la diabetes está bajo control, se deben de chequear los niveles de azúcar en la sangre con un medidor de glucosa o glucómetro. Su médico especialista le indicará la frecuencia de las mediciones, así como los valores o límites normales que debe mantener. También es importante conocer el valor de su hemoglobina glucosilada o prueba de hemoglobina A1C, ésta le informará como ha estado su glicemia en los últimos tres meses.

La Asociación Americana de Diabetes (ADA) recomienda un valor de hemoglobina glucosilada A1C en adultos, menor de 7% y la Eropean Association for the Study of Diabetes (EASD) menor de 6,5% para evitar complicaciones micro y macro vasculares.

Es importante también mantener el colesterol, los triglicéridos y la presión arterial dentro de los niveles normales y realizar exámenes anuales que incluyan la vista, los riñones, el corazón, las piernas y los pies.

Cuando la diabetes está fuera de control, puede suceder que disminuyan los niveles de glicemia (hipoglicemia). Ésto puede ser causado por comer poco o tarde, por realizar mucho ejercicio o porque el medicamento para la diabetes sea excesivo. Cuando ésto sucede, la persona se puede sentir temblorosa, irritable, con mucha sudoración, pálida, con hambre o confundida. Ésto es una emergencia y debe ser tratada de inmediato, proporcionándole una fuente de carbohidrato como puede ser 1/2 vaso de refresco no dietético, 1/2 vaso de jugo comercial que contenga azúcar o 3 ó 4 caramelos con azúcar. Si estas hipoglicemias suceden con frecuencia, se debe contactar al especialista para que revise el tratamiento.

A diferencia de otras enfermedades o condiciones crónicas, en la diabetes el paciente juega un rol fundamental en el manejo y control de su condición. El autocontrol es responsabilidad del paciente y éste le permitirá tener mejor calidad de vida sin descuidar su diabetes. Las bases fundamentales del autocontrol, son la motivación y una buena educación en diabetes.

María de Lourdes Cartaya

nutrición

La alimentación es uno de los procesos que influye en el desarrollo físico como psíquico de todo ser humano, es decir, actúa sobre su estado de salud integral.

El comportamiento alimentario de cualquier persona no se reduce tan solo a la ingestión de alimentos. Comer para el ser humano, es algo más que nutrirse, pues no comemos sólo para mantener nuestro organismo, sino también para proporcionarnos: placer, facilitar la convivencia y controlar algunas enfermedades. Por lo tanto, la alimentación es un proceso complejo que trasciende la necesidad puramente biológica y, a la vez, recibe la influencia de otros factores: sociales, religiosos, culturales, geográficos, afectivos y otros.

En atención a lo antes expuesto, se podría decir que, para que la alimentación sea agradable, placentera y, a su vez, sana, debe ser variada y equilibrada, así como adaptada a las necesidades individuales. De ahí la importancia de la educación nutricional, la cual permitirá que la alimentación pueda cubrir los requerimientos nutricionales en individuos sanos o con algún tipo de patología. En algunas ocasiones realizamos el acto voluntario de alimentarnos, pero no de nutrirnos, es decir, no sabemos seleccionar la cantidad y calidad de alimentos para mantener el bienestar de nuestro cuerpo.

Sobre la base de estos conocimientos, se hace necesario hablar del término nutrición y nutrientes. La nutrición es el conjunto de procesos, mediante los cuales nuestro organismo recibe, transforma e incorpora los nutrientes contenidos en los alimentos ingeridos. Los alimentos poseen diferentes macro-nutrientes: los carbohidratos, las proteínas y los lípidos o grasas, así como también micro-nutrientes: vitaminas y minerales; estos últimos, en su mayoría, no existen en la naturaleza de forma individualizada (excepto el agua que es también una sustancia nutritiva) sino que forman parte de los distintos alimentos en proporciones determinadas. Se podría decir que la forma natural para poder obtener estas sustancias nutritivas es la de los alimentos, siendo muy variable la proporción en la que cada alimento contiene los distintos nutrientes.

En consecuencia, una adecuada alimentación y nutrición contribuye a mantener la salud e incluso a prevenir la aparición de algunas enfermedades. Asimismo, a través de determinadas pautas o modificaciones alimentarias, se pueden tratar ciertas alteraciones o trastornos como es el caso de la Diabetes Mellitus, Síndrome Metabólico u Obesidad.

La diabetes mellitus hoy en día es un problema de salud pública a escala mundial ya que es uno de los trastornos metabólicos más frecuentes en el mundo. Según la International Diabetes Federation (IDF) existe un estimado de 246 millones de personas que padecen esta enfermedad.

La diabetes mellitus es un grupo de desórdenes endocrino-metabólicos caracterizados por la elevación de los niveles de glucosa sanguínea, que resulta por defectos en la secreción de insulina, su acción o ambas, lo que produce alteraciones en el metabolismo de los carbohidratos, las proteínas y los lípidos o grasas.

Diversos estudios a escala mundial, tales como: el "Diabetes Control and Complication Trial" (DCCT), en diabetes tipo 1, y el "United Kingdom Prospective Diabetes Study" (UKPDS), en diabetes tipo 2, han demostrado claramente las consecuencias de la hiperglicemia crónica, (niveles altos de glucosa en sangre), en la aparición de fallas macro-vasculares y micro-vasculares en órganos como: ojos, riñones, nervios, corazón y vasos sanguíneos. De allí la importancia de la intervención nutricional, la cual contribuye a un menor riesgo de complicaciones y, por ende, permite mejorar la calidad de vida de estos pacientes.

En vista de que la diabetes constituye un trastorno metabólico, la relevancia de la Terapia Médica Nutricional (TMN), es primordial en el autocontrol del paciente, por lo tanto, en la actualidad la Asociación Americana de Diabetes (ADA), considera dicha terapia como un componente integral del tratamiento, así como del proceso educativo de los pacientes y su entorno familiar. Los estándares para el automanejo de la diabetes, dictados por la ADA (2001), indican la manera de aproximarse al paciente por parte de un equipo multidisciplinario, en donde se contempla la figura del Nutricionista, Dietista o Especialista en Nutrición, que integre los principios de la práctica clínica y educativa necesarios para el manejo nutricional del paciente con diabetes.

Cabe destacar, sobre la base de lo antes expuesto, que las necesidades energéticas y de nutrientes de una persona con diabetes, son iguales al común de la gente sin ese trastorno metabólico. De allí que todos deberíamos aprender a ingerir una determinada proporción de nutrientes, para evitar las variaciones de los niveles de glucosa en sangre, es decir, saber emplear un plan de alimentación individualizado.

Objetivos de la terapia médica nutricional de la diabetes

A través del manejo nutricional adecuado del paciente con diabetes, se plantea lograr los siguientes objetivos:

1. Mantener un óptimo control metabólico de:

- Niveles de glicemia y de hemoglobina glucosilada (HbA1C), lo más cercano a lo normal, mediante el equilibrio entre la ingesta de alimentos y el medicamento para la diabetes, ya sea insulina o hipoglicemiantes orales.
- Perfil lipídico y lipoproteico adecuados para prevenir o reducir el riesgo de enfermedades cardiovasculares.
- Niveles de tensión arterial adecuados, para reducir el riesgo de enfermedad vascular.

2. Prevenir y tratar complicaciones crónicas de la diabetes, modificando el aporte de macro y micro-nutrientes de la ingesta y realizando los cambios adecuados de estilo de vida para la prevención y tratamiento, de la obesidad, dislipidemia, enfermedad cardiovascular, hipertensión y nefropatías.

3. Determinar los requerimientos nutricionales individualizados considerando: sexo, edad, estilo de vida, hábitos y preferencias alimentarias personales.

4. Proporcionar la cantidad de calorías adecuadas para mantener o lograr un peso recomendado en adultos, índice de crecimiento y desarrollo normal en niños y adolescentes; aumento de las necesidades metabólicas durante el embarazo y el período de la lactancia o en la recuperación de enfermedades catabólicas.

5. Prevenir y tratar complicaciones agudas de la diabetes tratada con insulina, como son las hipoglicemias (niveles bajos de glucosa en sangre), las enfermedades a corto plazo y las variaciones relacionadas con el ejercicio.

Terapia nutricional para diabetes tipo 1 y diabetes tipo 2

En la actualidad no existe una "Dieta para diabéticos" sino un "Plan de alimentación individualizado". Es casi imposible dar una recomendación única con respecto a la planificación de la alimentación, puesto que ésta puede variar en función de diversos factores, entre los cuales destacan:

- Tipo de diabetes y complicaciones presentes.
- Tipo de tratamiento (insulina o hipoglicemiantes orales).
- Hábitos alimentarios: tipo de alimentación y horarios.
- Nivel de actividad física.

En consecuencia, esta variedad de factores exógenos y endógenos, obligan al nutricionista clínico a individualizar el cada caso de cada persona, y lograr alcanzar su mayor control metabólico.

Recomendaciones nutricionales

Al inicio de toda asesoría nutricional, es necesario llevar a cabo la evaluación del paciente, la cual debe incluir parámetros antropométricos, bioquímicos, nutricionales, inmunológicos, y a su vez, realizar una valoración global y subjetiva, que permita una aproximación de su estado nutricional, y así tomar la decisión para la prescripción de las calorías y nutrientes necesarios, para alcanzar una alimentación saludable, que implica:

- Incluir vegetales, frutas, cereales integrales, productos lácteos sin grasas, grasas y carnes magras o sustitutos de carne (como pescado, pavo, pollo, huevo, quesos blancos).
- Comer las raciones indicadas.
- Realizar todas las comidas, sin omitir ninguna y ajustar el tratamiento adecuado.
- Consumir pescado dos o tres veces por semana.
- Tomar agua y bebidas dietéticas sin calorías, en lugar de refrescos y jugos de frutas.
- Elegir aceite de oliva extra virgen.
- Elegir qué, cuánto y cuándo comer (Plan de alimentación individualizado).
- Conocer todo lo posible sobre la diabetes y asistir a programas de educación, dictados por educadores capacitados en esa área.

Plan de alimentacion saludable

Sobre la base de lo antes expuesto, cabe destacar que un plan de alimentación individualizado, depende del consumo variado de alimentos, el cual debe contener las cantidades adecuadas de carbohidratos, proteínas y grasas, además de vitaminas, minerales, fibras y agua.

Existe una técnica denominada "Conteo de Carbohidratos", la cual está destinada a controlar los niveles de glucosa en la sangre. Los alimentos que contienen carbohidratos aumentan los niveles de glucosa en la sangre. Realizar un seguimiento de los carbohidratos que se consumen, permite fijar un límite en cuanto a la cantidad máxima que se puede ingerir.

Una vez que se haya establecido la cantidad adecuada de carbohidratos por parte de los especialistas, el paciente organizará su propio plan de alimentación.

Entre los alimentos que contiene carbohidratos se encuentran los siguientes:

- Leche y yogur.
- Vegetales con almidón, tales como: papas, yuca, ocumo, ñame, apio y batata.

- Frutas y jugos.

- Alimentos con almidón, tales como: pan, pastas, cereales, arroz y galletas.

- Granos.

- Refrescos, tortas, caramelos.

¿Qué cantidad de carbohidratos deben consumirse?

El punto de partida se ubica de 45 – 60 gramos por comida. Es posible que cada persona necesite más o menos, según su nivel de actividad y medicamentos que consuma. El paciente, conjuntamente con el especialista, determinará la cantidad más apropiada.

Leer las etiquetas nutricionales que traen los alimentos, es una excelente manera de saber qué cantidad de carbohidratos contiene un alimento. Dichas etiquetas permiten verificar:

- Tamaño de la ración.

- Gramos de carbohidratos totales, incluye el azúcar, el almidón y la fibra.

- Las calorías.

- Las grasas saturadas y las grasas trans.

- Sodio.

Indice glicémico

El índice glicémico (IG) mide el nivel al cual un alimento, que contiene carbohidratos, eleva el nivel de glucosa en sangre.

El IG se utiliza principalmente para los alimentos que contienen almidón: el pan, la pasta, los granos, los cereales y los vegetales con almidón. Los vegetales sin almidón, las grasas y las carnes, no afectan el nivel de glucosa en la sangre, puesto que no poseen un índice glicémico.

Entre los alimentos que contienen carbohidratos y su correspondiente IG, se encuentran los siguientes:

IG bajo (55 o menos):

- Pan integral de trigo o centeno.

- Harina de avena, salvado de avena, muesli.

- Pasta, arroz parbolizado, cebada, trigo.

- Maíz, legumbres y granos.

- La mayoría de frutas y zanahorias.

IG medio (56 – 69):

• Pan de centeno, trigo integral y pita.

• Avenas de cocción rápida.

• Arroz integral, basmati, cuscús.

IG alto (70 o más):

• Pan blanco.

• Arroz inflado, avena instantánea, arroz blanco de grano corto, pasta de arroz.

• Papa, auyama.

• Palomitas de maíz (cotufas), galletas saladas.

• Melón y piña.

Los vegetales sin almidón son las mejores opciones, pues contienen pocas calorías y carbohidratos. Para estar saludable es bueno consumir de ellos, de tres a cinco porciones por día

Finalmente, entre otras recomendaciones, se deben incluir de manera regular, la práctica de ejercicio físico y la visita a su podólogo, quien se encarga de la protección de los pies. Debe tenerse siempre presente, que si se mantiene una buena actitud y se considera la diabetes como una condición de vida, no sólo resultara más fácil controlar la enfermedad, sino evitar complicaciones. Del manejo nutricional de estos pacientes se puede aprender para educar a otros pacientes con condiciones diferentes.

Así mismo cabe destacar, que la diabetes es una condición, que conlleva el tomar opciones en materia de alimentación y actividad física, para, de esa manera, alcanzar la mejor calidad de vida. "ojalá todos aprendiéramos a alimentarnos, nutrirnos y mejorar nuestro estilo de vida, como lo hace un individuo con esta condición".

Luisa Alzuru

Nutricionista Clínico y Magister en Nutrición
Adjunto del Servicio de Nutrición Clínica, Endocrinología y Diabetes
del Centro Médico Docente La Trinidad /
Centro Clínico Profesional Caracas.

listas de alimentos

E INTERCAMBIOS

A los fines de facilitar el régimen de alimentación de las personas con diabetes, los alimentos han sido clasificados en Listas de Alimentos e Intercambios con contenidos nutricionales similares, es decir, que la porción indicada para cada alimento de una lista, aporta aproximadamente, la misma cantidad de calorías, carbohidratos, proteínas y grasas. Por lo que, cada alimento de una determinada lista, puede ser **intercambio, sustituto** o **equivalencia**, de cualquier otro alimento de la misma lista, en su correspondiente **porción**, lo que debe tenerse muy en cuenta, ya sea en la conformación del menú o al servir el alimento, para determinar la **ración** permitida de cada alimento, como se indica en cada Lista de Alimentos e Intercambios, ejemplo:

1 rebanada de pan blanco es equivalente o puede intercambiarse o sustituirse por 2 rebanadas de pan ligero o por una arepa de 50 gramos de peso.

A cada Lista de Alimentos e Intercambios, se le ha asignado un color determinado. Como se apreciará a lo largo del libro, utilizamos los colores adoptados por la American Diabetes Association y la American Dietetic Association, lo que agrega comodidad y facilita la ubicación visual de cada plato o receta y de los sustitutos o equivalencias.

GRUPOS   **1**   **2**   **3**   **4**   **5**   **6**

1 Leche o sustitutos

2 Vegetales

3 Frutas (frescas)

4 Panes, cereales, almidones, galletas y tubérculos

5 Aves, carnes, claras de huevo, pescados, quesos, jamón, salchichas

6 Grasas

GRUPO O LISTA 1: Leche o sustitutos

La lista está conformada por la leche y productos lácteos. Estos alimentos son buena fuente de calcio y de proteína. Es importante seleccionar leche o yogur descremados, ya que la leche completa tiene un alto contenido de grasa saturada y colesterol.

1 PORCIÓN aporta
90 calorías y 12 gramos de Carbohidratos (CHO)

equivale a:

1 vaso o 1 taza de 240 cc
de Leche descremada o Completa
o
1 vaso o 1 taza de 240 cc de Yogur
descremado o semidescremado
o
4 cucharadas rasas de Leche en polvo
(para 1 taza de agua).

GRUPO O LISTA 2: Vegetales

Son ricos en vitaminas, minerales y fibra. La lista de vegetales está dividida en lista 2A y Lista 2B, de acuerdo al contenido de almidón de algunos vegetales.

LISTA 2A

Acelgas
Ají
Ajo Porro
Alcachofa
Alfalfa
Apio España
Berenjena
Berro
Brócoli
Calabacín
Chayota
Champiñones
Cebollín
Celerí
Coliflor
Escarola
Espárrago
Espinaca
Hongos
Lechuga Criolla
Lechuga Iceberg
Lechuga Romana
Palmito
Pepino
Pimentón
Rábano
Radiccio
Repollo
Rúcula
Tomate

LISTA 2B

Auyama
Cebolla
Remolacha
Vainitas y tirabeques
Zanahorias
Petits-pois

1 PORCIÓN aporta
25 calorías y 5 gramos de Carbohidratos (CHO).
También vitaminas, minerales y fibra

equivale a:

1 taza de la Lista 2A
o
1/2 taza de la Lista 2B, cocidos.

GRUPO O LISTA 3: Frutas (frescas)

Las frutas son buena fuente de fibra, vitaminas y minerales. Seleccionar la fruta entera en vez de jugos, siempre que sea posible, pues el contenido de fibra en la fruta es mayor que en el jugo.

> **1 PORCIÓN** aporta
> 60 calorías y 15 gramos de carbohidratos.
> También vitaminas, minerales y fibra.

Fruta	Medida práctica	peso (g)
Cambur	1/2 unidad	80 g
Ciruelas	2 unidades	100 g
Ciruelas Pasas	3 unidades	-
Ensalada de frutas	1/4 taza	-
Durazno	2 pequeños ó 1 mediano	100 g
Fresas	1 1/4 taza	160 g
Guanábana	1/2 taza con semillas	160 g
Guayaba blanca	1 mediana	100 g
Guayaba rosada	1 mediana	100 g
Higos	2 pequeños	75 g
Jugo de naranja	1/2 vaso	125 g
Kiwi	1 mediano	100 g
Lechosa	1 taza	170 g
Mandarina	1 unidad mediana	140 g
Mango pequeño	1/2 unidad	100 g
Melón	1 taza	300 g
Mora	1 taza	100 g
Naranja	1 unidad mediana	140 g
Níspero pequeño	1 unidad mediana	90 g
Parchita	1 mediana	140 g
Pasas	2 cucharaditas	-
Patilla	1 1/4 taza	300 g
Pera / Manzana	1 mediana	90/100 g
Piña	1 rueda mediana	100 g
Toronja	1/2 unidad	200 g
Uvas	15 unidades pequeñas o 7 grandes.	

GRUPO O LISTA 4: Panes, cereales, almidones, galletas y tubérculos

1 PORCIÓN aporta
80 calorías y 15 gramos de carbohidratos

Panes

Panes	Porciones
Pan árabe (pita)	1/4 unidad grande o 1/2 mediano
Arepa pequeña	50 gramos
Pan blanco o integral	1 rebanada
Pan de dieta o ligero	2 rebanadas
Canilla, francés o campesino	30 gramos (1/4 de canilla)
Pan de perro caliente o hamburguesa	1/2 unidad, 50 gramos
Panqueca o cachapa	50 gramos, 1 pequeña
Pan tres cereales o linaza o avena	1 rebanada
Casabe	2 unidades medianas, 25 gramos pesada

Galletas o tortas

Galletas de arroz	2 unidades
Galletas tipo María	1/2 paquete
Galletas saladas	1/2 paquete
Pastas secas	3 unidades pequeñas sin crema
Torta tipo ponqué sin crema	25 gramos
Cotufas	2 a 3 tazas
Galletas de avena o naranja	1 unidad
Barra de cereales	1 barra
Brownie	25 gramos

Cereales

Avena, crema de arroz, fororo, maicena	2 cucharadas rasas
Pasta, granos (arvejas, caraotas, frijoles, garbanzos, habas, lentejas)	1/2 taza cocida
Cereales en hojuela	1/2 taza
Arroz o puré	1/3 de taza cocido
Cereal tipo Musli	1/4 de taza

Tubérculos

Plátano	1/4 de unidad, 50 gramos
Yuca o papa	1 trozo cocido, 90 gramos
Ñame, ocumo, apio, batata	1/2 taza cocido, 90 gramos

GRUPO O LISTA 5: Aves, carnes, claras de huevo, pescados, quesos, jamón, salchichas

Los alimentos de esta lista son ricos en proteínas. Es importante escoger carnes magras (bajas en grasa) siempre que sea posible. Algunos pescados, como el salmón, la sardina y el atún son ricos en grasas Omega 3 que ayudan a reducir el riesgo de enfermedades cardiovasculares.

> **1 PORCIÓN** aporta aproximadamente entre 55 y 75 calorías, 7 gramos de proteínas y de 5 a 7 gramos de grasa.

	Porciones
Pollo o pavo sin piel	30 gramos
Carne de res (por semana)	30 gramos
Huevo (por semana)	1 unidad
Clara de huevo	2 claras
Pescado (atún, mero, salmón, pargo)	30 gramos
Sardinas	2 unidades
Queso ricotta o requesón	1/4 de taza
Queso blanco (Paisa, mozarella, cabra)	30 gramos, (2 rebanadas finas o 1 gruesa, guayanés, cuajada)
Jamón de pavo o pollo	30 gramos, 1 tajada gruesa o 2 finas
Salchicha de pollo o pavo fina	1 unidad.

(preferiblemente monoinsaturadas)

Las grasas se pueden dividir en tres grupos, de acuerdo al tipo de grasa que contengan.

Grasas insaturadas: Son las grasas vegetales, muy beneficiosas para la salud. Se mantienen líquidas a temperatura ambiente. En este grupo, tenemos a las grasas Omega 3, las monoinsaturadas y las polinsaturadas.

Grasas saturadas: Este tipo de grasa aumenta los niveles de colesterol malo (LDL) en la sangre y deben evitarse en lo posible. Se mantienen sólidas a temperatura ambiente.

Grasas trans: Dentro de este grupo están las grasas parcialmente hidrogenadas y las hidrogenadas, producidas por el hombre y deben evitarse. Ellas aumentan los niveles de colesterol en la sangre.

**1 PORCIÓN aporta
45 calorías**

	Porciones
Aceite de oliva o girasol	1 cucharadita, 5 cc
Aceitunas	5 unidades grandes ú 8 pequeñas
Almendras, merey	6 unidades
Maní en concha	10 unidades
Nueces	2 unidades
Vinagreta baja en calorías	2 cucharaditas
Aguacate	1 lonja fina
Salsa italiana, americana light	1 cucharada
Mayonesa ligera o margarina	1 cucharadita.

Es importante recordar que los alimentos que contienen carbohidratos (almidones, frutas, vegetales y leche) son los que impactan directamente en la glicemia, ya que los carbohidratos se convierten en glucosa en la sangre. Por esta razón, debemos prestar atención especial a aquellos alimentos que los contienen y respetar las porciones indicadas, ejemplo:

Sabemos que una mandarina impacta los niveles de glucosa en sangre, pero si ingiero tres mandarinas la glicemia subirá mucho más.

medidas

Y EQUIVALENCIAS

Es imprescindible, especialmente mientras no se manejen con soltura visualmente, las raciones de alimentos a ser servidas a cada persona, medir el volumen y el peso de los ingredientes de cada receta, así como de la ración indicada. En este capítulo, se muestran los implementos o utensilios, utilizados para la medición de los ingredientes y de la ración correspondiente que deben estar siempre disponibles en la cocina.

Con respecto al peso, se recomienda disponer de una balanza, disponibles de diferente precisión y precio. Las mejores y más recomendadas, de diferentes marcas, alcanzan una precisión de 2 gramos y además permiten, mediante una tecla: T, que significa TASA, pesar el contenido neto de alimento, sin incluir el peso del envase que lo contiene, como puede observarse en la imagen. Es posible así, en el caso de envases transparentes, medir a la vez, el volumen y el peso deseados.

Como medios de medición, hemos escogido Tazas (Tza), Cucharadas (Cda) y cucharaditas (cta), para medir volúmenes. Las tazas pueden
ser transparentes, que en general permiten medir 1/4, 1/3, 1/2, 2/3 y 3/4
de taza y 1 taza de capacidad, así como sus múltiplos mediante piezas de 2
y 4 tazas de capacidad.

Envases de 1, 2 y 4 tazas

1/4 de taza   1/2 taza   3/4 de taza   1 taza

Algunos prefieren envases correspondientes a cada fracción de taza,
a las que el exceso le debe ser eliminado alisando la superficie con el lomo
plano de un cuchillo o algo similar:

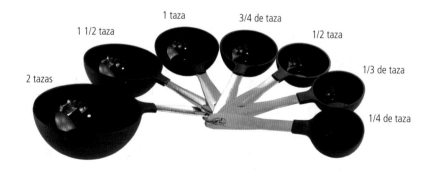

Para volúmenes pequeños hemos utilizado la serie de cucharadas y cucharaditas que pueden obtenerse en el comercio. Recomendamos disponer de la serie que comprende, al menos: 1/8 de cta, 1/4cta, 1/2 cta, 1 cta, 1/2 Cda y 1 Cda.

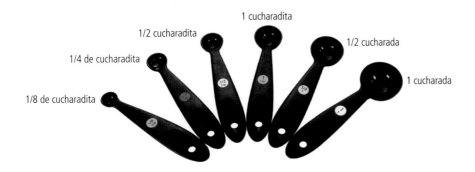

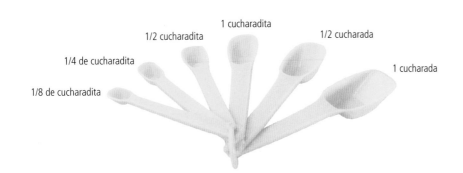

Para facilitar la apreciación visual del tamaño de la ración, se han utilizado siempre los mismos platos para sopa, llanos y para ensaladas y postre, que se muestran a continuación con indicación de sus respectivas dimensiones.

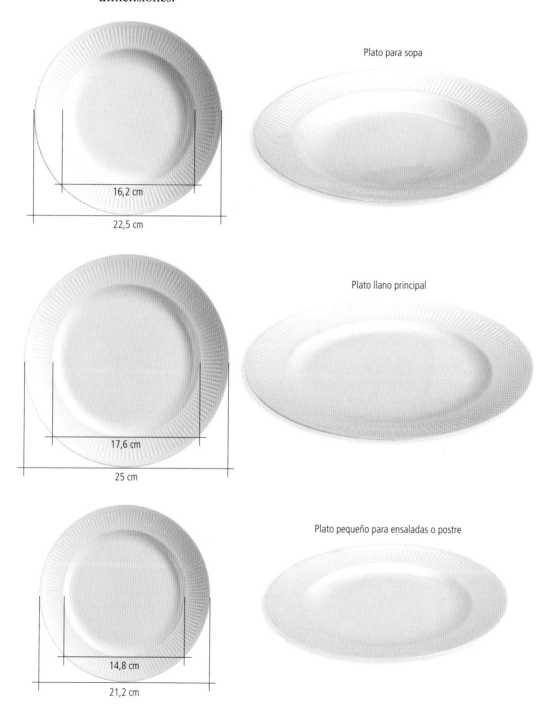

Plato para sopa

16,2 cm

22,5 cm

Plato llano principal

17,6 cm

25 cm

Plato pequeño para ensaladas o postre

14,8 cm

21,2 cm

Medidas prácticas

Por último, para facilitar la medición de las raciones cuando no se dispone a la mano los accesorios para medir los alimentos, se utiliza una manera práctica de reemplazarlos, como se indica de seguidas:

Dado
1 cucharadita (cta)

Pulgar
1 cucharada (Cda)

Caja de fósforos
30 gramos

Mazo de cartas
90 gramos

Pelota de golf
1/4 de taza = 4 cucharadas

1 montoncito en la palma de la mano
1/2 taza = 8 cucharadas

Mano cerrada
1 taza = 16 cucharadas

Medidas y equivalencias

Unidades	Cucharadas (*) Cdas.	Cucharaditas ctas.	Onzas Oz Fl.	Mililitros ml
1 taza	16	48	8	327
3/4 taza	12	36	6	177
2/3 taza	10 2/3	32	5 1/3	158
1/2 taza	8	24	4	118
1/3 taza	5 1/3	16	2 2/3	79
1/4 taza	4	12	2	59
1/8 taza	2	6	1	30
1 cucharada	1	3	1/2	15

(*) Cucharada rasa. Recuerde medir con tazas de medidas de repostería.
1 cucharadita de mantequilla = 4 gramos
1/2 cucharada de mantequilla = 8 gramos
1 cucharada de queso rallado = 4 gramos

Equivalencias de temperaturas de horno

Descripción	°Fahrenheit	°Celsius
Frío	200	90
Muy suave	250	120
Suave	300 – 325	150 – 160
Moderado suave	325 – 350	160 – 180
Moderado	350 – 375	180 – 190
Moderadamente caliente	375 – 400	190 – 200
Caliente	400 – 450	200 – 230
Muy caliente	450 – 500	230 - 260

cómo utilizar

EL LIBRO

Se presentan en el libro 37 menús completos cuyo contenido calórico varía aproximadamente entre 500 y 650 kilocalorías. Cada uno contiene una variedad de alimentos distribuidos de forma equilibrada y con el objetivo principal de proporcionar una alimentación sana.

Los criterios utilizados en esta publicación han sido tomados partiendo de los principios y recomendaciones de la Asociación Americana de Diabetes (ADA). Es importante considerar que los cálculos calóricos y nutricionales de las distintas recetas, son realizados partiendo de las Listas de Alimentos e Intercambios (Pág. 33) publicadas por dicha asociación.

Las Listas de Alimentos e Intercambios, se componen de alimentos con valores nutricionales similares. Cada porción de alimentos de una lista aporta aproximadamente la misma cantidad de calorías, proteínas, carbohidratos, grasas, vitaminas y minerales que otra porción de alimentos que forme parte de la misma lista.

Las porciones seleccionadas de estas Listas para cada persona en su plan de alimentación van acorde a su edad, sexo, nivel de actividad física, tratamiento médico (si lo posee), gustos o preferencias, necesidades fisiológicas (embarazo, lactancia o menopausia) o fisiopatológicas (sobrepeso, prediabetes, diabetes o desnutrición).

A los efectos de este libro denominaremos **porción**, la cantidad que, de cada alimento de una Lista o Grupo de Alimentos, que aporta aproximadamente la misma cantidad de nutrientes. Por otra parte denominaremos **ración**, la cantidad permitida de cada alimento, en un determinado Menú.

En la planificación de los menús, se partió de un menú tipo básico, el cual está constituido por los siguientes grupos de alimentos:

3 porciones de la Lista N° 5	(21-23 g de proteínas= 225 a 300 kcal)
2 porciones de la Lista N° 4	(30 g de carbohidratos= 160 kcal)
2 porciones de la Lista N° 2	(5-10 g de carbohidratos= 25-50 kcal)
1 porción de la Lista N° 3	(15 g de carbohidratos= 60 kcal)
2 porciones de la Lista N° 6	(10 g de grasa= 45-90 kcal)

Al comienzo de cada menú, se especifica su contenido nutricional, que incluye la cantidad de calorías, proteínas, grasas y carbohidratos del menú completo, así como las porciones de cada preparación incluidas en el mismo.

Igualmente, en cada receta de las que conforman el menú, se especifica su contenido nutricional, así como sus componentes, según las Listas de Alimentos e Intercambios (Pág. 33), para facilitar a la persona en un momento determinado, poder sustituir o intercambiar un alimento por otro, pero siempre perteneciente a la misma lista. Esto se muestra graficamente en el espacio destinado a intercambios aproximados ubicado en la parte inferior de la etiqueta, de la siguiente manera:

1 porción= ●   3/4 porción= ◗   1/2 porción= ◖   1/4 porción= ☾

Para entender lo que ésto significa, se da el siguiente ejemplo: Si el menú Nº 6, sugiere 1/3 de taza de arroz, este alimento pertenece a la lista Nº 4, de los panes y almidones, y se pudiera sustituir por cualquiera de los alimentos que integran la lista Nº 4, como por ejemplo 1/3 de taza de puré de papas o 50 g de plátano, pues su contenido calórico y la cantidad de carbohidratos aproximadamente el mismo. Estamos hablando de una porción de la lista Nº 4. Obsérvese que nos referimos a **porción**.

Arroz blanco
(menú 6)

o **Puré de papas con aceite**

o **Plátano horneado**

Valor Nutricional Ración	
Ración:	1/3 de taza (55 g)
Cantidad por ración:	
Kcal	77
Proteínas	2 g
Grasa	1 g
Carbohidratos	15 g
Intercambios aproximados:	
Lista 4=1	●

=

Valor Nutricional Ración	
Ración:	1/3 de taza (90 g)
Cantidad por ración:	
Kcal	95
Proteínas	2 g
Grasa	3 g
Carbohidratos	15 g
Intercambios aproximados:	
Lista 4=1	●◖
Lista 6=1/2	

=

Valor Nutricional Ración	
Ración:	(50 g)
Cantidad por ración:	
Kcal	68
Proteínas	2 g
Grasa	-
Carbohidratos	15 g
Intercambios aproximados:	
Lista 4=1	●

En el menú Nº 5 sugiere 100 g de asado criollo (1 ó 2 rebanadas, dependiendo de su grosor), la persona puede sustituir el asado, por cualquier alimento perteneciente a la lista a la que pertenece el asado, que es la Nº 5, de carnes, pescados, pollo, ya que cada porción de esta lista, tiene aproximadamente el mismo contenido calórico, proteínas, grasa, carbohidratos, vitaminas y minerales. Entonces pudiese intercambiar o sustituir por 90 ó 100 gramos de pescado o pollo. Aquí es importante hacer notar que estamos hablando de tres porciones de la lista Nº 5, donde cada porción es de aproximadamente 30 g.

Asado criollo
(menú 5)

o ## Pescado horneado
con salsa de tomate

Valor Nutricional Ración	
Ración:	(100 g)
Cantidad por ración:	
Kcal	290
Proteínas	21 g
Grasa	20 g
Carbohidratos	6,5 g
Intercambios aproximados:	
Lista 2=1	
Lista 5=3	
Lista 6=1	

=

Valor Nutricional Ración	
Ración:	(100 g)
Cantidad por ración:	
Kcal	302
Proteínas	23 g
Grasa	20 g
Carbohidratos	7,5 g
Intercambios aproximados:	
Lista 2=1/2	
Lista 5=3	
Lista 6=1	

De esta manera la persona puede manejar con facilidad los diferentes menús y en un momento determinado realizar cualquier cambio o sustitución sin perder el equilibrio nutricional del menú.

Recuerde tener en cuenta la ración de cada alimento para realizar la sustitución o el intercambio. Por ejemplo, si desea disfrutar de un postre diferente:

Piña

o ## Ensalada de frutas

Valor Nutricional Ración	
Ración:	1 rueda (100 g)
Cantidad por ración:	
Kcal	60
Proteínas	-
Grasa	-
Carbohidratos	15 g
Intercambios aproximados:	
Lista 3=1	

=

Valor Nutricional Ración	
Ración:	1/2 taza (62 g)
Cantidad por ración:	
Kcal	72
Proteínas	-
Grasa	-
Carbohidratos	18 g
Intercambios aproximados:	
Lista 3=1	

Recuerde que es vital en cada menú incorporar alimentos pertenecientes a las distintas Listas de Alimentos e Intercambios.

Insistimos en que las cantidades de alimentos contenidos en los menús, deben ser adaptadas de acuerdo al estilo de vida de cada persona. Es importante comprender esto, porque aun cuando están diseñados para toda la familia, cada persona tiene una formula calórica individual por día, la cual determina el cálculo diario de los requerimientos calóricos, proteicos, de grasas y carbohidratos que son necesarios para cubrir las funciones vitales orgánicas, metabólicas, de actividad física y mental entre otras. Es importante respetar el horario de comidas acordado con el nutricionista.

Por ejemplo, si citamos el caso de un hombre de 35 años, con un peso de 70 Kg, un nivel de actividad física bajo, su requerimiento calórico aproximado es de 1500 kilocalorías, distribuido en Proteínas 20% (75 g) Lipidos 30% (50 g) Carbohidratos 50% (188 g). Estas calorias deben ser distribuídas en las distintas comidas del día. En los distintos menus de este libro, se aporta como ya se mencionó, un aproximado de 500 a 650 kilocalorías las cuales constituyen alrededor de un 40-50% de dicho requerimiento diario. Recuerde, es necesario que si estas son consumidas como un almuerzo, se deben realizar los ajustes calóricos para las siguientes comidas como meriendas o cena, con el fin de evitar excesos o deficiencias de nutrientes que puedan alterar su estado nutricional (Obesidad o Desnutrición).

El lector debe tener claro que en ningún momento se pretende sustituir las recomendaciones del especialista calificado en el manejo nutricional. El libro sirve de apoyo en el diseño y planificación de la alimentación, sobre todo aquellos platos que contienen alimentos de más de una de las Listas, hasta tener destreza suficiente en el manejo de las Listas de Alimentos e Intercambios.

recomendaciones
GENERALES

- Según los criterios nutricionales establecidos por la Asociación Américana de Diabetes (ADA-2008) se permite la incorporación del azúcar como parte del plan de alimentación. La evidencia científica muestra que la respuesta glicémica ante una carga de carbohidratos de un alimento difiere en cada individuo y que lo más importante es cuantificar los gramos de carbohidratos más que el tipo de éstos.

- Existen grasas cuya composición ofrece beneficios a la salud, especialmente al hablar de la salud cardiovascular. Entre éstas, se encuentran las grasas "insaturadas" (las "mono" y "poliinsaturadas"), las cuales están presentes en los aceites vegetales como el de oliva, maiz y girasol, entre otros.

- Al relizar preparaciones salteadas se puede modificar en parte, la calidad de las grasas "monoinsaturadas", pues por el proceso de cocción de los aceites, pueden ser trasformadas en grasas "trans" o grasas "saturadas".

- Sea prudente en el consumo de sal para prevenir alteraciones en la tensión arterial.

- Hay alimentos libres o sin restricción, como lo son las gelatinas ligeras, sin azúcar, el café negro, consomé desgrasado e infusiones, entre otros. Tenga en cuenta que no todos los alimentos clasificados como "light" pueden ser consumidos sin limitaciones, de allí la importancia de la lectura de la etiqueta nutricional.

- La Asociación Americana de Diabetes y la Asociación Americana de Cardiología recomiendan el consumo de fibra, más de 35 g al día. Entre algunas de sus bondades, la fibra ayuda a la salud intestinal, beneficia el control de la diabetes al retardar la absorción de algunos nutrientes, ayuda a mejorar los niveles de colesterol y puede prevenir el cancer de colón. Incluya alimentos ricos en fibra todos los días como frutas y vegetales.

- Se ha demostrado que el agua activa el metabolismo, es decir, aumenta el gasto de energía del cuerpo. El agua es indispensable para el adecuado funcionamiento de los riñones y para la eliminación de desechos. Se recomienda tomar de 8 a 10 vasos de agua diarios.

- La educación nutricional le permitirá planificar su aporte calórico adecuado así como la selección de alimentos de alto valor nutricional y que no necesariamente son los de mayor costo.

menú

menú

menú

menú

menú

menú

menús navideños

menús

Valor Nutricional Menú	
Raciones:	
Pasta con salsa caponata	(230 g)
Bistec de ganso	(100 g)
Mousse de brócoli	1/2 taza (115 g)
Ensalada de pepino, hinojo y celerí	1 1/4 de taza (145 g)
Bizcochuelo	(30 g)
Kcal	647
Proteínas	31 g
Grasa	33 g
Carbohidratos	56,5 g

Pasta con salsa caponata
Bistec de ganso
Mousse de brócoli
Ensalada de pepino, hinojo y celerí
Bizcochuelo

Pasta con salsa caponata

Bistec de ganso
Mousse de brócoli
Ensalada de pepino, hinojo y celerí

Bizcochuelo

Pasta con salsa caponata

**Servir 1/2 taza de pasta cocida (60 g)
+ 3/4 de taza de salsa (170 g)= 230 g.**

(8 raciones)
Cantidad obtenida de pasta cocida: **5 tazas (480 g)**
Cantidad obtenida de salsa: **6 tazas (1.365 g)**

Valor Nutricional Ración	
Ración de pasta cocida:	1/2 taza (60 g)
Ración de salsa:	3/4 de taza (170 g
Cantidad por ración:	
Kcal	151
Proteínas	4 g
Grasa	7 g
Carbohidratos	18 g
Intercambios aproximados:	
Lista 2=1	
Lista 4=1	
Lista 6=1	

Ingredientes

para la salsa:

- 2 cucharadas de aceite de oliva.
- 3 tallos de celerí picaditos, unos 140 gramos, alrededor de 1 taza.
- 2 cebollas medianas picaditas, unos 210 gramos, 1 taza.
- 1 cucharada adicional de aceite de oliva.
- 2 berenjenas medianas, unos 420 gramos, unas 4 tazas, ya peladas y picaditas.
- 12 tomates "perita" picaditos, sin piel y sin semilla, unos 700 gramos, unas 4 tazas.
- 1/2 cucharadita de sal.
- 1/8 de cucharadita de pimienta.
- 1 taza de consomé desgrasado de pollo o de carne.
- 4 cucharadas de vinagre de vino.
- 4 cucharadas de alcaparras pequeñas.
- La pulpa picadita de 12 aceitunas.

para la pasta:

- 10 tazas de agua y 3 cucharaditas de sal para cocinar la pasta.
- 200 gramos de pasta, preferiblemente muy delgada, como "spaguettini" Nº 3 o similar, alrededor de unos 25 gramos de pasta seca por persona.
- 1/2 cucharada de queso parmesano rallado por ración.

Preparación

de la salsa:

1. En una sartén al fuego se pone el aceite a calentar. Se agrega el celerí a la sartén y se cocina por unos 5 minutos. Se agrega la cebolla y se continúa cocinando hasta marchitar, unos 4 minutos más. Se agrega la cucharada adicional de aceite y se agrega la berenjena pelada y picadita, se revuelve muy bien y se cocina 1 minuto más. Se agregan los tomates, la sal y la pimienta, se revuelve y se cocina 1 minuto más. Se agrega el consomé, se revuelve, se tapa y se cocina por unos 5 a 6 minutos más.

2. Entretanto, en una olla grande se han puesto a hervir las 10 tazas de agua y las 3 cucharaditas de sal para cocinar la pasta. Se lleva a un hervor, se agrega la pasta, se lleva nuevamente a un hervor y se cocina la pasta hasta estar "al dente".

3. Aparte en una olla pequeña se calienta el vinagre por unos 30 segundos.

4. Se agregan a la sartén el vinagre caliente, las alcaparras y las aceitunas, se cocina a fuego suave por 5 minutos y se retira del fuego para mezclar esa salsa a la pasta previamente cocida.

5. Para servir cada ración, se mide 1/2 taza escurrida de la pasta cocida, se le mezcla 3/4 de taza de la salsa y se sirve con 1/2 cucharada de queso parmesano rallado por encima.

Pasta con salsa caponata

Bistec de ganso

Valor Nutricional Ración	
Ración:	(100 g)
Cantidad por ración:	
Kcal	254
Proteínas	21 g
Grasa	18 g
Carbohidratos	2 g
Intercambios aproximados:	
Lista 5=3	●●●

(8 raciones)
Cantidad obtenida: **800 g**

Ingredientes

- 1 kilo de carne de res (lomito, ganso, solomo, etc.).
- 1/2 taza de cebolla rallada, unos 100 gramos.
- 2 dientes de ajo machacados.
- 1/4 de cucharadita de salsa inglesa Worcestershire.
- 1 1/2 cucharadita de sal.
- 1/4 de cucharadita de pimienta.
- 1 cucharada de aceite de oliva.

Preparación

1. Se eliminan la grasa y partes indeseables a la carne y se corta en 8 bistecs de unos 100 gramos cada uno.

2. Se mezclan la cebolla, el ajo, la salsa inglesa, la sal y la pimienta y con ese adobo se frotan los bistecs, dejándolos reposar por 20 ó 30 minutos.

3. En una sartén se pone la cucharada de aceite a calentar. Se agregan los bistecs a los cuales se les ha quitado el adobo que se deja aparte y se fríen unos 3 a 4 minutos en total. Poco antes de estar listos, se agrega a la sartén el adobo que se tiene aparte y se continúa cocinando todo hasta dorar.

4. Se retira la sartén del fuego y se sirven los bistecs inmediatamente.

Bistec de ganso

Mousse de brócoli

Valor Nutricional Ración	
Ración:	1/2 taza (115 g)
Cantidad por ración:	
Kcal	55
Proteínas	2 g
Grasa	1 g
Carbohidratos	9,5 g
Intercambios aproximados:	

Lista 1=1/4
Lista 2=1
Lista 6=1/4

(8 raciones)
Cantidad obtenida: **4 tazas (930 g)**

Ingredientes

- 1 brócoli de unos 550 gramos, unos 400 gramos sin hojas y en flores o pedazos pequeños, unas 5 tazas.
- 3 tazas de agua y 1 cucharadita de sal para cocinarlo.
- 1 sobre de gelatina sin sabor.
- 1 1/2 taza de consomé desgrasado de pollo o de carne.
- 4 cucharadas de leche líquida o 1/4 de taza de leche descremada.
- 1/8 de cucharadita de pimienta.
- 1/32 de cucharadita de nuez moscada, rallada.
- 1/4 cucharadita de salsa inglesa Worcestershire.
- 1 cucharadita de sal.
- 5 gotas de salsa picante.

Preparación

1. Se le eliminan las hojas al brócoli. Las flores y los tallos se cortan en trozos pequeños. Se enjuagan. Se ponen en una olla con el agua y la sal. Se lleva a un hervor y se cocina hasta ablandar, unos 10 minutos. Se escurre y se pone aparte.

2. En una olla se pone a remojar la gelatina en el consomé y se cocina por 2 minutos. Se retira del fuego.

3. En una trituradora se trituran el brócoli, el consomé con la gelatina, la leche descremada, la pimienta, la nuez moscada, la salsa inglesa, la sal y la salsa picante. Se vierte la mezcla en un molde o moldecitos individuales, se mete en la nevera por varias horas o hasta endurecer.

4. Cuando se va a servir, se mete el o los moldes por 1 ó 2 segundos en agua caliente y se saca la mousse sobre una bandeja. Conviene también humedecer previamente la bandeja, para poder acomodar la mousse más fácilmente.

Mousse de brócoli

Ensalada de pepino, hinojo y celerí

Valor Nutricional Ración	
Ración:	1 1/4 de taza (145 g)
Cantidad por ración:	
Kcal	89
Proteínas	2 g
Grasa	5 g
Carbohidratos	9 g
Intercambios aproximados:	
Lista 2=1	
Lista 6=1	

(8 raciones)
Cantidad obtenida: **9 1/2 tazas (1.170 g)**

Ingredientes

para la ensalada:

- 2 pepinos grandes, 600 gramos, unos 330 gramos, rebanados, sin piel y sin semillas, unas 3 tazas.
- 2 bulbos de hinojo, 600 gramos, unos 300 gramos ya limpios y rebanados finamente, unas 3 tazas.
- Unos 5 tallos de celerí, 370 gramos, unos 290 gramos, pelados y picados, alrededor de 3 1/2 tazas.

para la vinagreta:

- 3 cucharadas de aceite de oliva.
- 1 cucharada de vinagre.
- 4 cucharadas de agua.
- 1/2 cucharada de mostaza.
- 1 1/2 cucharadita de sal.
- 1/8 de cucharadita de pimienta.
- 1 1/2 cucharaditas de azúcar.

Preparación

de la ensalada:

1. Se lavan y se pelan los pepinos. Se cortan a lo largo en dos, se les sacan las semillas y se rebanan finamente. Se ponen en un envase. Se lava el hinojo, se rebana y se agrega al envase. Se lavan y se pelan los tallos de celerí, se rebanan finamente y se agregan al envase.

de la vinagreta:

2. En una licuadora, se baten todos los ingredientes de la vinagreta hasta emulsionarlos.
3. Se agrega la vinagreta al envase, se revuelve y se sirve.

Ensalada de pepino, hinojo y celerí

Bizcochuelo

Valor Nutricional Ración

Ración:	(30 g)
Cantidad por ración:	
Kcal	98
Proteínas	2 g
Grasa	2 g
Carbohidratos	18 g

Intercambios aproximados:

Lista 4=1
Lista 6=1/2

(14 raciones)
Cantidad obtenida: **1 bizcochuelo (500 g)**

Ingredientes

- 1/2 cucharada de mantequilla para engrasar el molde.
- 5 huevos.
- 10 cucharadas de azúcar, unos 94 gramos.
- 1/8 de cucharadita de sal.
- 1/2 cucharadita de esencia de vainilla.
- 16 cucharadas de harina, 1 taza, unos 130 gramos.

Preparación

1. Se precalienta el horno a 350º F.
2. Se enmantequilla un molde de 28 x 12 x 7 centímetros. Se espolvorea con harina y se sacude el exceso.
3. En el recipiente de una batidora eléctrica se ponen los huevos, el azúcar, la sal y la vainilla y se baten a alta velocidad por 15 minutos.
4. Con movimiento envolvente y con cuchara de madera se le mezcla la harina, pasándola como lluvia a través de un colador de alambre.
5. Se vierte en el molde y se mete en el horno. Se hornea por 30 a 35 minutos o hasta dorar y que al introducirle una aguja ésta salga seca.
6. Se saca el molde del horno, se deja reposar 5 minutos y todavía caliente se saca del molde y se deja enfriar sobre la rejilla.

Bizcochuelo

menú ②

Crema de caraotas negras
Atún con papas en vinagreta
Acelgas sudadas
Ensalada de tomate y palmito
Chantilly

Valor Nutricional Menú	
Raciones:	
Crema	1/2 taza
de caraotas negras	(125 g)
Atún con papas	1 taza
en vinagreta	(160 g)
Acelgas sudadas	1 taza (185 g)
Ensalada de tomate	1 taza
y palmito	(160 g)
Chantilly	1/3 de taza (100 g)
Kcal	**656**
Proteínas	29 g
Grasa	43,5 g
Carbohidratos	37 g

Crema de caraotas negras

Atún con papas en vinagreta
Acelgas sudadas

Chantilly

Ensalada de tomate y palmito

Crema de caraotas negras

Valor Nutricional Ración	
Ración:	1/2 taza (125 g)
Cantidad por ración:	
Kcal	139
Proteínas	2 g
Grasa	7 g
Carbohidratos	17 g
Intercambios aproximados:	
Lista 4=1 Lista 6=1	●●

(16 raciones)
Cantidad obtenida: **8 tazas (2.000 g)**

Ingredientes

- 5 tazas de sopa de caraotas negras, *(preparada según receta que sigue al final de ésta).*
- 2 1/2 tazas de agua.
- 2 cucharadas de aceite de oliva.
- 1/2 taza de cebolla rallada, unos 100 gramos.
- 1 1/2 cucharadita de sal.
- 1/4 de cucharadita de pimienta.
- 1/8 de aguacate, una rebanada muy fina.

Nota: El contenido nutricional del menú está basado en esta preparación de **Crema de caraotas**.

La receta que sigue de **Sopa de caraotas**, es solamente referencial para preparar la receta de la **Crema de caraotas**. A su vez, la **Crema** puede sustituirse por la ración indicada de la **Sopa**.

Preparación

1. En el vaso de una trituradora se ponen las caraotas y el agua. Se tritura muy bien durante unos 20 a 30 segundos.

2. Se cuela a través de un colador de alambre, apretando los sólidos con cuchara de madera, contra las paredes del colador.

3. Entretanto, se prepara un sofrito poniendo en un caldero pequeño el aceite a calentar, se agrega la cebolla y se fríe hasta que comience a dorar, unos 7 minutos. Se pone aparte.

4. Se lleva la crema de caraotas nuevamente a un hervor y se le agrega el sofrito colado a través de un colador de alambre, apretando los sólidos contra las paredes del colador con cuchara de madera. Se le agrega también la sal y la pimienta y se cocina unos 5 minutos más.

5. Se sirve acompañada de la rebanada de aguacate.

Crema de caraotas negras

Sopa de caraotas negras

Servir 1/3 de taza de granos escurridos y completar 1/2 taza con el caldo.

Valor Nutricional Ración

Ración:	1/2 taza (130 g)

Cantidad por ración:	
Kcal	94,5

Proteínas	2 g
Grasa	2,5 g
Carbohidratos	16 g

Intercambios aproximados:

Lista 4=1
Lista 6=1/2

(12 raciones)

Cantidad obtenida: **6 tazas (1.750 g)**

Ingredientes

- 1 kilo de caraotas negras, unas 4 tazas.
- 10 tazas de agua.
- 1 cebolla mediana cortada en dos, unos 130 gramos.
- 1/2 pimentón rojo, sin venas y sin semillas, unos 90 gramos.
- 3 1/4 cucharadita de sal.
- 1/2 cucharadita de pimienta.
- 6 a 8 tazas de agua.
- 2 cucharadas de aceite de oliva.
- 1 taza de cebolla rallada, unos 200 gramos.
- 3 dientes de ajo machacados.
- 4 ajíes dulces picaditos, unos 70 gramos.

Preparación

1. Se escogen las caraotas eliminándoles toda clase de impurezas. Se lavan en agua corriente desechando las que floten.

2. En una olla a presión de 10 litros de capacidad se ponen al fuego las caraotas con las 10 tazas de agua, la cebolla cortada en dos y el pimentón. Se lleva a un hervor, se baja un poco el fuego y se cocinan hasta que ablanden, unos 60 minutos aproximadamente.

3. Se retira la olla del fuego, se deja enfriar para destaparla sin peligro. Se le eliminan el pimentón y la cebolla y en la misma olla, destapada y usada como olla corriente, se le agregan la sal, la pimienta y unas 6 a 8 tazas de agua. Se lleva a un hervor y se cocinan por 20 minutos o hasta que estén blandas pero firmes, cuidando de quitarle la espuma que pueda formarse en la superficie.

4. Entretanto, en un caldero pequeño se pone a calentar el aceite. Se agregan la cebolla rallada, el ajo machacado y los ajíes dulces picaditos y se sofríen hasta que doren bien unos 7 a 10 minutos. Se agrega ese sofrito a la olla con las caraotas y se continúa cocinando a fuego medio hasta que el caldo espese un poco, unos 30 minutos más.

Sopa de caraotas negras

Atún con papas en vinagreta

Servir 100 gramos de atún y 40 gramos de papa y completar los 160 gramos, con la cebolla y la vinagreta.

Valor Nutricional Ración	
Ración:	**1 taza (160 g)**
Cantidad por ración:	
Kcal	290
Proteínas	21,5 g
Grasa	20 g
Carbohidratos	6 g
Intercambios aproximados:	
Lista 4=1/2	
Lista 5=3	◖●●●◗
Lista 6=1	

(4 raciones)
Cantidad obtenida: **5 tazas (735 g)**

Ingredientes

para el atún:

- 1 papa mediana, unos 160 gramos.
- 3 tazas de agua.
- 1 cucharadita de sal.
- 1 cebolla pequeña, rebanada finamente.
- 1/2 kilo de lomo de atún o 1 lata de atún al natural o en aceite de oliva, unos 400 gramos.
- 1/2 pimentón rojo en juliana.

para la vinagreta:

- 3 cucharadas de aceite de oliva.
- 1 cucharada de vinagre.
- 4 cucharadas de agua.
- 1 cucharadita de mostaza.
- 1 1/2 cucharadita de sal.
- 1/8 de cucharadita de pimienta.

Preparación

del atún:

1. Se pela y se corta la papa en rebanadas de 1/2 centímetro de espesor y se cocina en una olla con el agua y la sal, hasta que esté blanda pero firme.

2. Se saca la papa de la olla con una espumadera y aún caliente se coloca en un envase hondo y se le vierten la vinagreta, la cebolla y el pimentón y se deja reposando 5 minutos. Se agregan los trozos de atún y se revuelve cuidadosamente para no romperlos.

de la vinagreta:

3. Entretanto, en una licuadora, se baten los ingredientes de la vinagreta hasta emulsionarlos. Se pone aparte.

Atún con papas en vinagreta

Acelgas sudadas

Valor Nutricional Ración	
Ración:	1 taza (185 g)
Cantidad por ración:	
Kcal	96
Proteínas	1 g
Grasa	7,5 g
Carbohidratos	6 g
Intercambios aproximados:	
Lista 2=1	
Lista 6=1 1/4	

(5 raciones)
Cantidad obtenida: **5 tazas (930 g)**

Ingredientes

- 5 paquetes de acelgas, 1 1/2 a 2 kilos de hojas de acelga con tallos, para obtener alrededor de 1 kilo, ya limpias y picadas.
- 12 tazas de agua.
- 6 cucharaditas de sal.
- 3 cucharadas de aceite de oliva.
- 4 dientes de ajo enteros.
- 1 taza de consomé desgrasado de pollo o de carne.
- 1 1/4 cucharadita de sal.
- 1/4 de cucharadita de pimienta.
- 1/4 de taza de queso parmesano rallado, 1/2 cucharada por ración.

Preparación

1. Se limpian bien las acelgas, eliminando partes malas y hojas manchadas o secas. Se pelan los tallos quitándoles las hebras. Se lavan bien. Se cortan las hojas en pedazos medianos. Se escurren.

2. En una olla grande se ponen las 12 tazas de agua y las 6 cucharaditas de sal para cocinar las acelgas. Se lleva a un hervor. Se agregan las acelgas. Se lleva nuevamente a un hervor y se cocinan hasta ablandar unos 8 a 10 minutos. Se escurren y se cortan en pedazos. Se ponen aparte.

3. En una sartén grande o en un caldero se pone el aceite a calentar. Se agregan los ajos y se fríen hasta dorar, unos 4 minutos. Se eliminan los ajos.

4. Se agregan las acelgas a la sartén y se sofríen 1 minuto, revolviendo. Se agregan el consomé, la sal y la pimienta, se lleva a un hervor, se pone a fuego mediano y se cocinan tapadas por 10 a 15 minutos.

5. Se agrega el queso parmesano a la sartén. Se revuelve bien alrededor de 1 minuto y se retira del fuego.

Acelgas sudadas

Ensalada de tomate y palmito

Valor Nutricional Ración	
Ración:	1 taza (160 g)
Cantidad por ración:	
Kcal	76
Proteínas	0,5 g
Grasa	6 g
Carbohidratos	5 g
Intercambios aproximados:	
Lista 2=1 Lista 6=1	●●

(5 raciones)
Cantidad obtenida: **5 tazas (800 g)**

Ingredientes

para la ensalada:

• 1 lata de palmito al natural, 250 gramos, cortados en trozos de unos 2 centímetros de largo.

• 2 tomates manzanos grandes, maduros pero firmes, unos 500 gramos, cortados en octavos, sin piel y sin semillas, unas 3 tazas.

• 1 cebolla pequeña, cortada en plumitas, unos 100 gramos, 1/2 taza.

para la vinagreta:

• 2 cucharadas de aceite de oliva.

• 1 cucharada de vinagre.

• 4 cucharadas de agua.

• 1/2 cucharada de mostaza.

• 1 cucharadita de sal.

• 1/8 de cucharadita de pimienta.

Preparación

de la ensalada:

1. Se escurren y se cortan los palmitos en trozos de unos 2 centímetros de largo. Se ponen en un envase. Se lavan, se pelan y se cortan los tomates y se agregan al envase. La cebolla se pela y se corta en plumitas y se une a los demás ingredientes.

de la vinagreta:

2. En una licuadora, se baten los ingredientes de la vinagreta hasta emulsionarlos, se revuelve con los ingredientes de la ensalada y se sirve.

Ensalada de tomate y palmito

Chantilly

(6 raciones)
Cantidad obtenida: **2 tazas (600 g)**

Ingredientes

- 1 lámina, 5 gramos, de gelatina sin sabor.
- 1/4 de lámina de gelatina sin sabor, color rojo.
- 1/2 taza de agua.
- 2 yemas de huevo.
- 1 cucharadita de maicena.
- 1 1/2 taza de leche descremada.
- 1 sobre de gelatina ligera de fresas, 10 gramos.
- 1 cucharadita de esencia de vainilla.
- 2 claras de huevo.
- 2 cucharadas de edulcorante.

Preparación

1. Se hidratan las láminas de gelatina sin sabor en la 1/2 taza de agua.

2. En un envase se baten con batidor de alambre las yemas de huevo, la maicena y la 1/2 taza de leche. Se coloca al fuego la mezcla en una olla mediana, con el resto de la leche y sin dejar de batir, se lleva a un hervor. Se le agrega la gelatina de fresas y se revuelve hasta que se disuelva la gelatina y rompa de nuevo el hervor. Se retira del fuego. Se le agregan la gelatina sin sabor previamente hidratada junto con la vainilla. Se revuelve hasta disolver.

3. Aparte en el envase de la batidora se baten las claras a punto de nieve y se le agregan las 2 cucharadas de edulcorante. Se añaden a la preparación anterior aun caliente. Se mezcla bien y se deja enfriar a temperatura ambiente en un envase de vidrio. Se lleva al refrigerador por 2 horas.

Chantilly

menú ③

Sopa de auyama con mandarina
Salmón ahumado
Cebollitas guisadas con tomate
Fondos de alcachofa hervidos
Higo con queso de cabra y nueces

Valor Nutricional Menú	
Raciones:	
Sopa de auyama con mandarina	3/4 de taza (180 g)
Salmón ahumado	(100 g)
Cebollitas guisadas con tomate	4-5 cebollitas (120 g)
Fondos de alcachofa hervidos	2 fondos (130 g)
Higo con queso de cabra y nueces	1 higo (70 g)
Kcal	**621**
Proteínas	25,5 g
Grasa	25 g
Carbohidratos	73,5 g

Salmón ahumado

Sopa de auyama con mandarina

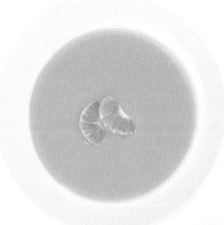

Higo con queso de cabra y nueces

Cebollitas guisadas con tomate
Fondos de alcachofas hervidos

Sopa de auyama con mandarina

Valor Nutricional Ración	
Ración:	3/4 de taza (180 g)
Cantidad por ración:	
Kcal	80
Proteínas	0,5 g
Grasa	2 g
Carbohidratos	15 g
Intercambios aproximados:	
Lista 2=3	
Lista 3=1/4	
Lista 6=1/2	

(8 raciones)
Cantidad obtenida: **6 tazas (1.440 g)**

Ingredientes

- 1 kilo de auyama.
- 4 tazas de agua y 1 cucharadita de sal para cocinar la auyama.
- 1 cucharadas de aceite de oliva.
- 3/4 de taza de cebolla picadita, unos 150 gramos.
- 2 ramitas de tomillo o 1/4 de cucharadita sí es seco molido.
- 1/8 de cucharadita de pimienta blanca.
- 3 tazas de consomé desgrasado de pollo o de carne.
- 1/2 taza de jugo de mandarina.
- 1 ají dulce rojo o verde picadito o gajos de mandarina para adorno.

Preparación

1. Se le eliminan las semillas y tripas a la auyama, se pela y la pulpa se corta en pedazos. Se pone en una olla al fuego con el agua y la sal y se cocina hasta ablandar, unos 15 minutos. Se escurre y se pone aparte.

2. En una olla al fuego se pone el aceite a calentar, se agregan la cebolla, el tomillo y la pimienta y se cocinan hasta marchitar, unos 4 minutos. Se agrega la auyama, se cocina 1 minuto. Se agrega el consomé, se lleva a un hervor y se cocina unos 4 minutos.

3. Se pasa todo el contenido de la olla y el jugo de mandarina, al vaso de una trituradora y se tritura bien. Se cuela a través de un colador fino sobre una olla limpia al fuego. Se lleva a un hervor y, a fuego bajo, se cocina por 1 ó 2 minutos. Se sirve caliente o helada, adornada con ají dulce picadito o con gajos de mandarina.

Sopa de auyama con mandarina

Salmón ahumado

Valor Nutricional Ración	
Ración:	(100 g)
Cantidad por ración:	
Kcal	334,5
Proteínas	21 g
Grasa	14,5 g
Carbohidratos	30 g
Intercambios aproximados:	
Lista 4=2 Lista 5=3	● ● ● ● ●

(4 raciones)
Cantidad obtenida: **400 g de salmón**

Ingredientes

- 400 gramos de salmón ahumado.

para servir:

- 4 cucharadas de cebolla finamente picada.
- 4 cucharadas de alcaparras pequeñas.
- 4 cucharaditas de mostaza.
- 8 rebanadas de pan negro "Pumpernickel" (2 rebanadas por persona).

Preparación

1. Se coloca en un plato 100 gramos de salmón ahumado por persona, y se acompaña con una cucharada de cebolla finamente picada, 1 cucharada de alcaparras pequeñas, 1 cucharadita de mostaza y 2 rebanadas de pan negro "Pumpernickel" o pan tostado por persona.

Salmón ahumado

Cebollitas guisadas con tomate

Valor Nutricional Ración

Ración:	4-5 cebollitas (120 g)
Cantidad por ración:	
Kcal	115,5
Proteínas	2 g
Grasa	7,5 g
Carbohidratos	10 g
Intercambios aproximados:	
Lista 2=2	
Lista 6=1 1/2	

(6 raciones)

Cantidad obtenida: **24 cebollitas (720 g)**

Ingredientes

- 1/2 kilo de cebollitas, unas 24 unidades, del tamaño de una nuez o menos.
- 4 tazas de agua.
- 1 cucharadita de sal.
- 3 cucharadas de aceite de oliva.
- 1 cebolla pequeña, unos 80 gramos, 2/3 de taza ya picadita.
- 4 tomates grandes, picaditos, sin piel y sin semillas, 1 taza.
- 2 tazas de consomé desgrasado de pollo o de carne.
- 3/8 de cucharadita de pimienta.
- 3/4 de cucharadita de sal.
- 1 cucharada de perejil, picadito.

Preparación

1. Se pelan y se lavan las cebollitas, se ponen en una olla con las 4 tazas de agua y 1 cucharadita de sal, se llevan a un hervor y se cocinan por 10 minutos o hasta que se les pueda introducir una aguja fácilmente. Se retiran del fuego, se escurren y se ponen aparte.

2. En una olla se pone el aceite a calentar. Se agrega la cebolla. Se cocina hasta marchitar, unos 4 minutos.

3. Se agrega el tomate. Se cocina unos 2 a 3 minutos. Se agregan las cebollitas. Se revuelven. Se agregan el consomé, la pimienta y la sal. Se tapa y se cocina a fuego fuerte por 5 minutos. Se baja el fuego. Se agrega el perejil y se cocina a fuego medio, tapado, unos 25 minutos, hasta secar un poco.

Cebollitas guisadas con tomate

Fondos de alcachofa hervidos

Servir 2 fondos de alcachofa por persona, unos 130 g.

Valor Nutricional Ración	
Ración:	**2 fondos (130 g)**
Cantidad por ración:	
Kcal	14
Proteínas	-
Grasa	
Carbohidratos	**3,5 g**
Intercambios aproximados:	
Lista 2=1/4	🌙

(4 raciones)
Cantidad obtenida: **8 fondos de alcachofa (520 g)**

Ingredientes

- 8 alcachofas, alrededor de 2 kilos.
- 10 a 12 tazas de agua.
- 3 cucharaditas de sal.
- Jugo de limón o vinagre.

Preparación

1. Se lavan muy bien las alcachofas, sacudiéndolas bajo agua corriente. Se les corta el tallo a ras con el fondo. Se les quitan y se ponen aparte las hojas, si se quieren para otro uso, y se eliminan los pelos que tienen interiormente, con la ayuda de una cuchara o cuchillo. Se les pela la parte inferior de los fondos hasta dejarlos lisos y se van pasando a una olla con agua y vinagre o con agua y jugo de limón, para que no se ennegrezcan. Se elimina el agua, se enjuagan.

2. Se ponen los fondos en una olla al fuego con el agua y la sal indicadas, y se cocinan hasta que se les pueda introducir suavemente una aguja. Se retiran del fuego, se escurren bien y se sirven.

Fondos de alcachofas hervidos

Higo con queso de cabra y nueces

Servir 1 higo + 10 gramos de queso de cabra y 1/2 nuez.

Valor Nutricional Ración	
Ración:	**1 higo (70 g)**
Cantidad por ración:	
Kcal	77
Proteínas	2 g
Grasa	1 g
Carbohidratos	15 g
Intercambios aproximados:	
Lista 3=1	
Lista 5=1/4	
Lista 6=1/4	

(6 raciones)

Cantidad obtenida: **6 higos (420 g)**

Ingredientes

- 6 higos maduros pero firmes.
- 60 gramos de queso de cabra.
- 3 nueces.

Preparación

1. Se lavan y se secan delicadamente los higos. Con un cuchillo afilado se les hace en la piel, un corte superficial en cruz, desde la punta hasta la mitad de la altura, aproximadamente, sin llegar a la base y ayudándose con la punta del cuchillo se apartan esos trozos de piel sin romperla, de modo que quede abierta como una flor.

2. Con el cuchillo, también se cortan en cruz y se separan los trozos de pulpa.

3. Se les coloca una cucharadita de queso de cabra en el centro de la fruta y se adorna con la mitad de una nuez.

Higo con queso de cabra y nueces

menú ④

Chupe de gallina o de pollo
Coliflor guisada
Espárragos con vinagreta
Piña

Valor Nutricional Menú	
Raciones:	
Chupe de gallina o de pollo	1 1/2 taza (375 g)
Coliflor guisada	1 taza (220 g)
Espárragos con vinagreta	1 taza (150 g)
Piña	1 rueda (100 g)
Kcal	630
Proteínas	27 g
Grasa	28 g
Carbohidratos	67,5 g

Chupe de gallina o de pollo

Coliflor guisada
Espárragos con vinagreta

Piña

Chupe de gallina o de pollo

Servir 70 g de carne de gallina o de pollo + 30 g de queso=100 g y completar 1 1/2 taza (375 g) con el resto de la sopa.

(8 raciones)
Cantidad obtenida: **12 tazas (3 Kg)**

Valor Nutricional Ración	
Ración:	1 1/2 taza (375 g)
Cantidad por ración:	
Kcal	365
Proteínas	22,5 g
Grasa	15 g
Carbohidratos	35 g
Intercambios aproximados:	
Lista 2=1	
Lista 4=2	
Lista 5=3	

Ingredientes

- 1/2 gallina de 1 1/2 kilo
  o 500 gramos de carne de gallina
  preferiblemente o de pollo
  ya cocida, unas 5 tazas, picadita.
- 1 limón.
- 4 tazas de agua.
- La parte blanca y algo de lo
  verde de 1 ajoporro, cortado
  longitudinalmente en dos,
  unos 150 gramos.
- 2 cebollas medianas cortadas
  en dos, unos 260 gramos.
- 1 taza de granos de maíz tierno
  (jojoto), unos 145 gramos.
- 2 tazas de papas cortadas en
  trocitos de 2 centímetros, unos
  400 gramos.
- 5 dientes de ajo machacados.
- 1 cucharada de sal.
- 1/2 cucharadita de pimienta
  blanca.
- 3 cucharadas de salsa inglesa
  Worcestershire.
- 6 espárragos envasados, cortados
  en trocitos, 1 taza.
- 2 cucharadas de cilantro picadito.
- 1/4 de taza, 30 gramos de queso
  blanco, semiduro, cortado
  en trocitos.
- 1/2 taza de leche descremada.

Preparación

1. Se limpia muy bien la gallina, quitándole el exceso de grasa, los menudos, la piel del pescuezo, la grasa que tiene a ambos lados de la parte posterior, etc. Se frota con limón, se lava y se pone entera dentro de una olla a presión con 4 tazas de agua, el ajoporro y la cebolla. Se lleva a un hervor. Se baja el fuego y se cocina unos 50 minutos o hasta ablandar. Si se hace en olla corriente debe agregarse más agua, unas 12 tazas y cocinarla hasta ablandar. En el caso de utilizar pollo, bastará hervirlo igualmente, pero en olla corriente, hasta ablandar.

2. Se retira del fuego. Se deja enfriar suficientemente para abrir la olla sin peligro. Se cuela el caldo, se eliminan el ajoporro y la cebolla. Se deja enfriar la gallina, se le elimina la piel y se corta la carne en trozos de unos 2 centímetros, desechando los huesos. Se pone aparte.

3. En una olla grande se pone el caldo donde se cocinó la gallina agregándole agua hasta completar unas 5 tazas. Se agregan los granos de jojoto, las papas, el ajo, la sal, la pimienta y la salsa inglesa. Se lleva a un hervor y se cocina a fuego mediano por unos 45 minutos o hasta que la papa ablande.

4. Se le elimina el exceso de grasa al caldo y se agregan los espárragos y la gallina. Se cocina por 15 minutos. Se agrega el cilantro picadito. Se revuelve suavemente y se cocina por 3 a 4 minutos más. Se apaga el fuego.

5. Ya cuando se va a servir se le agrega el queso en trocitos, se cocina 1 ó 2 minutos. Se agrega y revuelve la leche descremada. Se lleva a un hervor. Se apaga el fuego y se sirve inmediatamente.

Chupe de gallina o de pollo

Coliflor guisada

(8 raciones)
Cantidad obtenida: **8 tazas (1.785 g)**

Ingredientes

- 2 coliflores, unos 1.570 gramos, 1 kilo ya limpio y en gajitos, unas 8 tazas.
- 8 tazas de agua y 3 cucharaditas de sal para cocinar la coliflor.
- 3 cucharadas de aceite de oliva.
- 1 taza de cebolla picadita, unos 280 gramos.
- 3 dientes de ajo machacados.
- 5 tomates, alrededor de 1/2 kilo, de los cuales se obtienen unos 390 gramos, unas 1 3/4 tazas, picaditos, sin piel y sin semillas.
- 2 tazas de consomé desgrasado de pollo o de carne.
- 2 cucharaditas de salsa inglesa Worcestershire.
- 3/8 de cucharadita de pimienta.
- 1 1/4 cucharadita de sal.
- 1/4 de cucharadita de orégano.
- 1/2 hoja de laurel o 1/8 de cucharadita sí es seco molido.
- 1 cucharadas de perejil picadito.
- 4 cucharadas de queso parmesano, rallado, (1/2 cucharada por ración).

Preparación

1. Se lava y se corta en gajitos la coliflor. Se enjuaga bajo agua corriente. En una olla se pone la coliflor con el agua y las 3 cucharaditas de sal. Se lleva a un hervor, se cocina hasta ablandar, pero no demasiado, unos 12 minutos. Se escurre. Se pone aparte.

2. En una olla se pone el aceite a calentar. Se agregan la cebolla y el ajo machacado. Se revuelve y se cocina hasta marchitar, unos 4 minutos.

3. Se agrega el tomate picadito. Se revuelve y se cocina 2 ó 3 minutos. Se agrega la coliflor. Se revuelve. Se agregan el consomé, la salsa inglesa, la pimienta, la sal, el orégano y el laurel. Se revuelve, se tapa y se cocina a fuego fuerte por 5 minutos. Se baja el fuego. Se agrega el perejil y se cocina a fuego lento, tapado, unos 15 a 20 minutos hasta secar un poco. En el momento de retirarla del fuego se le revuelve, sí se quiere, el queso parmesano.

Coliflor guisada

menú 4

Espárragos con vinagreta

Valor Nutricional Ración	
Ración:	**1 taza (150 g)**
Cantidad por ración:	
Kcal	92
Proteínas	0,5 g
Grasa	6 g
Carbohidratos	9 g
Intercambios aproximados:	
Lista 2=1 Lista 5=1/4 Lista 6=2	

(4 raciones)

Cantidad obtenida: **4 tazas (600 g)**

Ingredientes

para la vinagreta:

- 1 1/2 cucharadas de aceite de oliva.
- 1 cucharada de vinagre.
- 4 cucharadas de agua.
- 1/2 cucharada de mostaza.
- 1 cucharadita de sal.
- 1/8 de cucharadita de pimienta.
- 1 1/2 cucharaditas de azúcar.

para los espárragos:

- 12 espárragos frescos.
- 2 tazas de agua.
- 1 cucharadita de sal.

Preparación

de la vinagreta:

1. En una licuadora, se baten los ingredientes de la vinagreta hasta emulsionarlos. Se pone aparte.

de los espárragos:

2. Se corta el extremo inferior duro de los espárragos, unos 2 a 3 centímetros. Se pelan luego los dos tercios inferiores de los espárragos, dejando la punta o tercio superior sin pelar.

3. En una olla con el agua y la sal, suficiente para cubrirlos, se agregan los espárragos al hervir. Se lleva nuevamente a un hervor y se cocinan hasta que puedan atravesarse con una aguja en su parte inferior, unos 15 minutos. Deben quedar blandos pero firmes y no deben cocinarse en exceso para que no pierdan su aspecto fresco.

4. Se sirven en un plato, bañados con la vinagreta.

Espárragos con vinagreta

Piña

Valor Nutricional Ración	
Ración:	**1 rueda (100 g)**
Cantidad por ración:	
Kcal	**60**
Proteínas	-
Grasa	-
Carbohidratos	**15 g**
Intercambios aproximados:	
Lista 3=1	

Piña

menú (5)

Gazpacho
Vegetales a la plancha
Asado criollo
Arroz guisado
Ensalada de chayota
Mousse de riñón

Valor Nutricional Menú	
Raciones:	
Gazpacho	3/4 de taza (200 g)
Vegetales a la plancha	**1 taza (150 g)**
Asado criollo	**(100 g)**
Arroz guisado	**1/3 de taza (60 g)**
Ensalada de chayota	**3/4 de taza (115 g)**
Mousse de riñón	**1/3 de taza (50 g)**
Kcal	**643,5**
Proteínas	**28,5 g**
Grasa	**37,5 g**
Carbohidratos	**48 g**

Asado criollo
Arroz guisado
Vegetales a la plancha

Gazpacho

Mousse de riñón

Ensalada de chayota

Gazpacho

Valor Nutricional Ración	
Ración:	3/4 de taza (200 g)
Cantidad por ración:	
Kcal	66
Proteínas	1,5 g
Grasa	4 g
Carbohidratos	6 g
Intercambios aproximados:	
Lista 2=1	
Lista 6=3/4	

(9 raciones)
Cantidad obtenida: **9 tazas (2.285 g)**

Ingredientes

- 850 gramos de tomates, unos 6 tomates, alrededor de unos 540 gramos, 3 tazas, picaditos, sin piel y sin semillas.
- 1 diente de ajo entero, pelado.
- 1/2 taza de pepino picadito, sin piel y sin semillas, unos 80 gramos.
- 1/2 pimentón, alrededor de 1/2 taza picadito, sin venas y sin semillas, unos 90 gramos.
- 1/2 taza de cebolla picadita, unos 100 gramos.
- 1 diente de ajo pequeño machacado.
- 4 latas de 340 ml. de jugo de tomate o jugo natural, alrededor de 1 1/2 litro.
- 2 cucharadas de aceite de oliva.
- 1 1/2 cucharaditas de sal.
- 1 1/2 cucharada de jugo de limón.
- 1 cucharada de vinagre .
- 1/2 cucharadita de azúcar.
- 5 gotas de salsa picante.
- 1 cucharadita de salsa inglesa Worcestershire.
- 3/4 de cucharadita de pimienta.
- 1/2 taza de agua (opcional).

Preparación

1. Se lavan y se cortan muy finamente los vegetales.
2. Se frota con el ajo el interior de un envase grande donde se va a preparar el gazpacho. Se elimina el ajo.
3. En el envase se ponen todos los ingredientes restantes, se revuelve. Si no se quiere muy espeso, se le agrega 1/2 taza de agua y se corrige la sazón sí es necesario.
4. Se deja en la nevera por 3 a 4 horas y se sirve helado en taza.

Gazpacho

Vegetales a la plancha

Valor Nutricional Ración	
Ración:	**1 taza (150 g)**
Cantidad por ración:	
Kcal	67
Proteínas	0,5 g
Grasa	5 g
Carbohidratos	5 g
Intercambios aproximados:	
Lista 2=1 Lista 6=1	⬤⬤

(6 raciones)

Cantidad obtenida: **6 tazas (900 g)**

Ingredientes

- 2 calabacines, unos 500 gramos.
- 2 berenjenas, unos 450 gramos.
- 2 pimentones, unos 400 gramos.
- 2 cucharadas de aceite de oliva.
- 3 dientes de ajo machacados.
- 1 cucharadita de sal.
- 1/8 de cucharadita de pimienta.
- 1 ramita de orégano.
- 1 ramita de tomillo.

Preparación

1. Se lavan los calabacines y se cortan en rebanadas de 1/2 centímetro de espesor. Se ponen en un envase.

2. Se lavan las berenjenas y se cortan en rebanadas de 1/2 centímetro de espesor. Se agregan al envase.

3. Se lava el pimentón, se le sacan las semillas y se corta en tiras de 2 centímetros de ancho. Se agregan al envase.

4. Se sazonan los vegetales con el aceite, los ajos machacados, la sal, la pimienta, el orégano y la ramita de tomillo. Se revuelven bien.

5. Se coloca una plancha de hierro acanalada o una sartén o budare, al fuego, para que se caliente bien. Luego, se van poniendo los vegetales poco a poco hasta que doren, unos 4 minutos por lado y así hasta terminar con todos. Se sirven.

Vegetales a la plancha

Asado criollo

Valor Nutricional Ración	
Ración:	(100 g)
Cantidad por ración:	
Kcal	290
Proteínas	21 g
Grasa	20 g
Carbohidratos	6,5 g
Intercambios aproximados:	
Lista 2=1	
Lista 5=3	
Lista 6=1	

(12 raciones)
Cantidad obtenida: **1 asado (1.180 g)**

Ingredientes

- 1 kilo de muchacho cuadrado de res, con su grasa.
- 2 cucharadas de aceite de oliva.
- 2 tazas de cebolla rallada gruesa, unos 400 gramos.
- 6 dientes de ajo machacados.
- 1 1/2 taza de tomate rallado grueso, sin piel y sin semillas, unos 340 gramos.
- 1/3 de taza de pimentón rallado, unos 50 gramos.
- 1 cucharada de salsa inglesa Worcestershire.
- 1 ramita de mejorana u orégano o 1/4 de cucharadita sí son secos, molidos.
- 3 cucharaditas de sal.
- 1/2 cucharadita de pimienta.
- 2 cucharadas de aceite de oliva.
- 4 tazas de agua.

Preparación

1. Se limpia muy bien la carne, se le elimina la grasa.
2. Se prepara un adobo mezclando las cucharadas de aceite, la cebolla, los ajos, el tomate, el pimentón, la salsa inglesa, la mejorana u orégano, la sal y la pimienta.
3. En un envase grande se pone la carne con el adobo, se tapa y se deja en la nevera hasta el día siguiente, dándole vuelta de vez en cuando.
4. Cuando se va a preparar la carne, se ponen en un caldero grande las otras 2 cucharadas de aceite y en el centro del caldero y sin revolver, se agregan las cucharaditas de azúcar y se cocina hasta que se ponga marrón.
5. Se le quita el adobo a la carne y se pone aparte. La carne se pone en el caldero, dándole vuelta de vez en cuando, para dorarla uniformemente, unos 15 minutos.
6. Se agrega el adobo, se tapa y se cocina por unos 15 minutos más.
7. Se le agregan las 4 tazas de agua, se revuelve, se lleva a un hervor, se tapa, y a fuego fuerte, se cocina 10 minutos. Se pone a fuego mediano y tapado se cocina por 2 1/2 a 3 horas o hasta que la carne esté blanda y bien cocida, agregándole, sí es necesario, 1 a 2 tazas de agua y 1 a 2 cucharaditas de sal durante ese cocimiento, dependiendo de que la carne sea más o menos dura.
8. Se apaga el fuego, se le elimina el exceso de grasa a la salsa y se cuela a través de un colador, apretando los sólidos con cuchara de madera. Se vuelven la salsa y la carne al caldero y se lleva a un hervor antes de servir.
9. La salsa debe quedar muy espesa, si queda un poco aguada, se reduce un poco cocinándola unos minutos más. Se corta en tajadas y se sirve con su salsa.

Asado criollo

Arroz guisado

(10 raciones)
Cantidad obtenida: **3 1/2 tazas (615 g)**

Ingredientes

- 2 cucharadas de aceite de oliva.
- 1/2 taza de cebolla, picadita, unos 100 gramos.
- 3 dientes de ajo, machacados.
- 1/3 de taza de la parte blanca de cebollín, picadito, unos 25 gramos.
- 1/3 de taza de la parte blanca de ajoporro, picadito, unos 25 gramos.
- 1/4 de taza de pimentón, picadito, sin venas y sin semillas, unos 40 gramos.
- 2 ajíes dulces picaditos, sin semillas, unas 2 cucharadas.
- 2 cucharaditas de sal.
- 1/8 de cucharadita de pimienta.
- 1/16 de cucharadita de comino, molido.
- 1/2 cucharada de salsa inglesa Worcestershire.
- 1/2 cucharada de encurtidos en mostaza, picaditos.
- La pulpa de 6 aceitunas, picaditas.
- 2 cucharadas de alcaparras.
- 1/2 taza de tomate, picadito, sin piel y sin semillas, unos 100 gramos.
- 1 taza de arroz.
- 1 1/2 taza de consomé desgrasado de pollo, de carne o de agua.

Preparación

1. En un caldero o en una olla pesada, se pone el aceite a calentar. Se agregan la cebolla, el ajo, el cebollín y el ajoporro y se fríen hasta marchitar, unos 5 minutos.

2. Se agregan el pimentón, el ají dulce, la sal, la pimienta, el comino, la salsa inglesa, la salsa picante, los encurtidos, las aceitunas, las alcaparras y el tomate. Se cocina por unos 6 minutos o hasta secar.

3. Se agrega el arroz, previamente lavado en un colador de alambre bajo agua corriente y escurrido. Se revuelve y se cocina 1 minuto.

4. Se agrega el consomé o el agua. Se revuelve, se lleva a un hervor y se cocina unos 5 minutos o hasta casi secar. Se tapa, se pone a fuego muy suave y se cocina sin revolver hasta que el arroz esté a punto, cuando aparecen huecos en la superficie, unos 20 minutos. No se revuelve más hasta que se destape, cuando se revuelve con un tenedor. Se apaga el fuego, se tapa y se deja así unos minutos hasta que se vaya a servir.

Arroz guisado

Ensalada de chayotas

Valor Nutricional Ración	
Ración:	3/4 de taza (115 g)
Cantidad por ración:	
Kcal	67
Proteínas	1,5 g
Grasa	5 g
Carbohidratos	4 g
Intercambios aproximados:	
Lista 2=1 Lista 6=1	●●

(6 raciones)
Cantidad obtenida: **6 tazas (1.300 g)**

Ingredientes

para las chayotas:

- 4 chayotas sin pelar, unos 2 kilos ó 1.200 gramos, peladas y picadas, unas 8 tazas.
- 6 tazas de agua.
- 1 1/2 cucharadita de sal.

para la vinagreta:

- 2 cucharadas de aceite de oliva.
- 1 cucharada de vinagre.
- 4 cucharadas de agua.
- 1/2 cucharada de mostaza.
- 1 1/2 cucharadita de sal.
- 1/8 de cucharadita de pimienta.

Preparación

de las chayotas:

1. Se lavan y se cortan las chayotas verticalmente en dos. Se les quita el corazón y las semillas y sin pelar se ponen en una olla con suficiente agua que las cubra, unas 6 tazas y 1 1/2 cucharadita de sal.

2. Se lleva a un hervor y se cocina 1/2 hora o hasta que ablanden.

3. Se escurren y se dejan enfriar un poco. Se pelan y se cortan en trocitos de 1 centímetro por lado. Se ponen en un envase aparte.

de la vinagreta:

4. En una licuadora, se baten los ingredientes de la vinagreta hasta emulsionarlos, se revuelve con la chayota y se sirve.

Ensalada de chayota

menú 5

Mousse de riñón

<table>
<tr><td colspan="2">Valor Nutricional Ración</td></tr>
<tr><td>Ración:</td><td align="right">1/3 de taza (50 g)</td></tr>
<tr><td colspan="2">Cantidad por ración:</td></tr>
<tr><td>Kcal</td><td align="right">43</td></tr>
<tr><td>Proteínas</td><td align="right">2 g</td></tr>
<tr><td>Grasa</td><td align="right">1 g</td></tr>
<tr><td>Carbohidratos</td><td align="right">6,5 g</td></tr>
<tr><td colspan="2">Intercambios aproximados:</td></tr>
<tr><td>Lista 1=1/4
Lista 3=1/2</td><td align="right">◖◗</td></tr>
</table>

(6 raciones)

Cantidad obtenida: **2 tazas (300 g)**

Ingredientes

- 320 gramos de pulpa de riñón.
- 2 yogures naturales descremados, endulzados con edulcorante, unos 300 gramos.
- 20 gramos, unas 4 láminas de gelatina sin sabor.

Preparación

1. Se licúa la pulpa del riñón con el yogur y se cuela.
2. Se hidrata la gelatina en agua y se cocina hasta disolver. Se agrega y revuelve a la mezcla del riñón.
3. Se vierte en molde o moldecitos individuales. Se refrigera hasta que tome consistencia y se sirve acompañado de una fresa pequeña.

Mousse de riñón

menú 6

Rueda de tomate con ricotta
Arroz blanco
Pescado horneado con salsa de tomate
Brócolis salteados
Lechosa

Valor Nutricional Menú	
Raciones:	
Rueda de tomate con ricotta	**1 rueda (95 g)**
Arroz blanco	**1/3 de taza (55 g)**
Pescado horneado con salsa de tomate	**(100 g)**
Brócolis salteados	**1 taza (100 g)**
Lechosa	**1 taza (170 g)**
Kcal	632
Proteínas	34 g
Grasa	34 g
Carbohidratos	47,5 g

Rueda de tomate con ricotta

Pescado horneado con salsa de tomate
Arroz blanco
Brócolis salteados

Lechosa

Rueda de tomate con ricotta

<table>
<tr><td colspan="2">Valor Nutricional Ración</td></tr>
<tr><td>Ración:</td><td align="right">1 rueda (95 g)</td></tr>
<tr><td colspan="2">Cantidad por ración:</td></tr>
<tr><td>Kcal</td><td align="right">84</td></tr>
<tr><td>Proteínas</td><td align="right">7 g</td></tr>
<tr><td>Grasa</td><td align="right">4 g</td></tr>
<tr><td>Carbohidratos</td><td align="right">5 g</td></tr>
<tr><td colspan="2">Intercambios aproximados:</td></tr>
<tr><td>Lista 2=1/2
Lista 5=1</td><td></td></tr>
</table>

(8 raciones)
Cantidad obtenida: **8 ruedas (750 g)**

Ingredientes

- 2 tomates manzanos, grandes, cortados en rebanadas, unos 340 gramos, 3 tazas.
- 1 taza de queso ricotta, sin sal, unos 250 gramos.
- 2 cucharadas de albahaca picadita.
- 2 cucharadas de perejil picadito.
- 1/2 cucharadita de sal.
- 1/8 de cucharadita de pimienta negra.
- 1 cucharadita de aceite de oliva.

Preparación

1. Se lavan los tomates, se cortan en rebanadas de 1 centímetro de espesor, se les eliminan las semillas y se ponen aparte.
2. En un envase se suaviza el queso ricotta con una espátula, hasta formar una crema homogénea. Se le agregan la albahaca, el perejil, la sal, la pimienta y el aceite. Se mezcla muy bien.
3. A cada rebanada de tomate se le pone encima unas 2 cucharadas de la preparación y se sirven.

Rueda de tomate con ricotta

Arroz blanco

(6 raciones)
Cantidad obtenida: **2 tazas (330 g)**

Ingredientes

- 1 taza de arroz.
- 1 1/2 taza de agua.
- 1/2 cebolla pequeña cortada en dos, unos 45 gramos.
- 1/4 de pimentón rojo-verde, unos 50 gramos.
- 1 diente de ajo.
- 1 cucharadita de sal.
- 1 cucharada de aceite de oliva.

Preparación

1. Se lava el arroz en un colador de alambre, frotándolo bajo agua corriente hasta que ésta salga transparente. Se escurre. Inmediatamente se pone en una olla pesada y con tapa pesada, con el agua, la cebolla, el pimentón, el ajo, la sal y el aceite. Se revuelve bien.

2. Se enciende el fuego y sin tapar se lleva a un hervor a fuego fuerte. Se cocina hasta que casi evapore el agua, y aparezcan huecos en la superficie, unos 5 a 7 minutos. Se tapa, se pone a fuego muy suave y se cocina sin revolver por 20 a 22 minutos más o hasta que esté blando, seco y con los granos separados.

3. El arroz se revuelve con un tenedor al principio y se revuelve nuevamente cuando está listo y se apaga el fuego, se le eliminan la cebolla, el ajo y el pimentón.

Arroz blanco

Pescado horneado con salsa de tomate

(6 raciones)
Cantidad obtenida: **6 ruedas (750 g)**

Valor Nutricional Ración	
Ración:	(100 g)
Cantidad por ración:	
Kcal	302
Proteínas	23 g
Grasa	20 g
Carbohidratos	7,5 g
Intercambios aproximados:	
Lista 2=1/2	
Lista 5=3	
Lista 6=1	

Ingredientes

- 6 ruedas medianas de pescado (pargo, mero, curvina, etc.), de unos 100 gramos cada uno, alrededor de 3/4 de kilo.
- 1 limón cortado en dos.
- 2 cucharaditas de sal.
- 2 tazas de tomate picadito, sin piel y sin semillas, unos 350 gramos.
- 2 tazas de cebolla picadita, unos 400 gramos.
- 3/4 de taza de pimentón rojo picadito, unos 115 gramos.
- 1/2 taza de agua.
- 3 cucharadas de aceite de oliva.
- 4 dientes de ajo machacados.
- 1/2 cucharada de salsa inglesa Worcestershire.
- 1/4 de cucharadita de pimienta.
- 1/2 a 1 cucharadita de sal.
- 1 cucharadas de perejil picadito.

Preparación

1. Se lava el pescado. Se frota con limón y se enjuaga. Se seca. Se frota con las 2 cucharaditas de sal y se pone aparte.

2. Se trituran conjuntamente el tomate, la cebolla, el pimentón y el agua por 1 ó 2 minutos.

3. En un caldero se pone el aceite a calentar. Se agregan los ingredientes que se han triturado. Se agregan también el ajo, la salsa inglesa, la pimienta y la sal. Se lleva a un hervor. Se cocina por unos 15 minutos.

4. Se agrega el perejil. Se lleva a un hervor y se agregan las ruedas de pescado. Se pone a fuego mediano y se cocina tapado por 10 minutos.

Pescado horneado con salsa de tomate

Brócolis salteados

Valor Nutricional Ración	
Ración:	1 taza (100 g)
Cantidad por ración:	
Kcal	95,5
Proteínas	2 g
Grasa	7,5 g
Carbohidratos	5 g
Intercambios aproximados:	
Lista 2=1 Lista 6=1 1/4	

(4 raciones)
Cantidad obtenida: **4 tazas (400 g)**

Ingredientes

- 400 gramos de brócolis, ya limpios sin las hojas y los tallos, 5 tazas.
- 6 tazas de agua y 2 cucharaditas de sal para cocinar el brócoli.
- 3 cucharadas de aceite de oliva.
- 2 dientes de ajo machacados.
- 1/2 taza de cebolla picadita, unos 100 gramos.
- 1 cucharadita de salsa de ostras.
- 1 cucharadita de sal.
- 1/8 de cucharadita de pimienta.

Preparación

1. Se eliminan las hojas y los tallos gruesos al brócoli. Se separan las flores. Se ponen las flores en una olla con agua y sal. Se lleva a un hervor y se cocina hasta estar al "dente". Se sacan y se ponen en una fuente con agua y hielo para conservarles el color.

2. En una sartén al fuego se pone el aceite a calentar y se agregan los dientes de ajo y la cebolla y se cocinan hasta marchitar. Se eliminan los ajos. Se agregan los brócolis y la salsa de ostras y se sofríe por 5 minutos. Se sazona con la sal y la pimienta. Se baja del fuego y se sirven.

Brócolis salteados

lechosa

Valor Nutricional Ración	
Ración:	1 taza (170 g)
Cantidad por ración:	
Kcal	60
Proteínas	-
Grasa	-
Carbohidratos	15 g
Intercambios aproximados:	
Lista 3=1	⬤

Lechosa

menú  7

Sopa de cebolla
Pechuga de pollo a la plancha
Puré de batatas
Calabacines salteados con ají dulce y jengibre
Ensalada de lechuga y berro
Gelatina de fresas con frutas

Valor Nutricional Menú	
Raciones:	
Sopa de cebolla	1 taza (210 g)
Pechuga de pollo a la plancha	(100 g)
Puré de batatas	1/3 de taza (80 g)
Calabacines salteados con ají dulce y jengibre	1 taza (170 g)
Ensalada de lechuga y berro	1 taza (110 g)
Gelatina de fresas con frutas	1/3 de taza (90 g)
Kcal	593
Proteínas	26 g
Grasa	33 g
Carbohidratos	48 g

Pechuga de pollo a la plancha
Puré de batatas
Calabacines salteados con ají dulce y jengibre

Sopa de cebolla

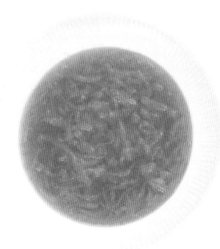

Gelatina de fresas con frutas

Ensalada de lechuga y berro

Sopa de cebolla

Valor Nutricional Ración

Ración:	1 taza (210 g)
Cantidad por ración:	
Kcal	93
Proteínas	2 g
Grasa	5 g
Carbohidratos	10 g
Intercambios aproximados:	

Lista 2=2
Lista 6=1/2

(8 raciones)
Cantidad obtenida: **8 tazas (1.700 g)**

Ingredientes

- 2 cucharadas de aceite de oliva.
- 8 tazas de cebolla cortada en ruedas, 1 1/2 kilo.
- 1/4 de taza de vino blanco seco.
- 6 tazas de consomé desgrasado de carne con sal.
- 1/2 cucharadita de sal.
- 1/4 de cucharadita de pimienta.
- 1/2 cucharada de queso parmesano por ración.

Preparación

1. En una olla o caldero se pone el aceite a calentar. Se agrega la cebolla y a fuego fuerte se fríe unos 25 a 30 minutos hasta que comience a dorar. Se agrega el vino y se cocina hasta casi evaporarse. Se retira del fuego y se agrega a una olla donde se tiene hirviendo el consomé con la sal y la pimienta. Se lleva a un hervor y se cocina a fuego fuerte por 5 minutos. Opcionalmente, se le puede agregar por encima al servirla, 1/2 cucharada de queso parmesano por ración.

Sopa de cebolla

Pechuga de pollo a la plancha

Valor Nutricional Ración	
Ración:	(100 g)
Cantidad por ración:	
Kcal	219
Proteínas	21 g
Grasa	15 g
Carbohidratos	-
Intercambios aproximados:	
Lista 5=3	●●●

(8 raciones)
Cantidad obtenida: **(890 g)**

Ingredientes

- 2 pechugas sin hueso y limpias, unos 890 gramos.
- 1/2 cebolla, rallada, unos 100 gramos.
- 2 dientes de ajo, machacados.
- 1 cucharadita de salsa inglesa Worcestershire.
- 1/8 de cucharadita de pimienta.
- 1 cucharadita de aceite de oliva.
- 2 cucharaditas de sal.
- 1 /16 de cucharadita de tomillo, seco, molido.
- 1/2 cucharada de aceite de oliva.

Preparación

1. Se limpian bien las pechugas eliminándoles los huesos, la piel y la grasa completamente. Sobre una tabla y con un cuchillo largo y afilado y paralelamente a la tabla, se cortan transversalmente las pechugas casi completamente y que permita que se puedan abrir como un libro.

2. En un envase se prepara un adobo mezclando la cebolla, el ajo, la salsa inglesa, la pimienta, el aceite, la sal y el tomillo. Con el adobo se frotan bien las pechugas y éstas se dejan aparte por 15 a 30 minutos.

3. A fuego fuerte se pone una plancha a calentar. Cuando esté muy caliente, se agrega la 1/2 cucharada de aceite que se extiende con un papel absorbente. Se agregan luego las pechugas, poniéndolas completamente planas sobre la plancha y se cocinan 2 minutos por cada lado, para servirlas de inmediato.

Pechuga de pollo a la plancha

Puré de batatas

Valor Nutricional Ración	
Ración:	1/3 de taza (80 g)
Cantidad por ración:	
Kcal	97
Proteínas	0,5 g
Grasa	3 g
Carbohidratos	17 g
Intercambios aproximados:	
Lista 4=1	
Lista 6=1/2	

(9 raciones)
Cantidad obtenida: **3 tazas (720 g)**

Ingredientes

- 3/4 de kilo de batata blanca.
- 4 tazas de agua.
- 1 cucharadita de sal.
- 1/8 de cucharadita de nuez moscada rallada.
- 1/2 a 1 cucharadita de sal.
- 1/4 de cucharadita de pimienta blanca.
- 1 taza de leche descremada.
- 2 cucharadas de aceite de oliva.

Preparación

1. Se pela, se corta en pedazos y se lava la batata.

2. Se pone en una olla con agua que la cubra, unas 4 tazas, y la cucharadita de sal. Se lleva a un hervor y se cocina hasta que esté blanda, unos 15 minutos. Se escurre e inmediatamente se bate con batidor eléctrico.

3. Se pone el puré en la olla seca con la nuez moscada, la sal, la pimienta, la leche descremada y el aceite, en baño de María, es decir, poniendo la olla dentro de un envase más grande con 4 ó 5 centímetros de agua, todo sobre el fuego. Se revuelve el puré vigorosamente con cuchara de madera o con batidor eléctrico. Se conserva caliente en baño de María hasta el momento de servirlo.

Puré de batatas

Calabacines salteados con ají dulce y jengibre

Valor Nutricional Ración	
Ración:	1 taza (170 g)
Cantidad por ración:	
Kcal	94
Proteínas	2 g
Grasa	6 g
Carbohidratos	8 g
Intercambios aproximados:	
Lista 2=1	
Lista 6=1	

(5 raciones)
Cantidad obtenida: **5 tazas (840 g)**

Ingredientes

- 2 cucharadas de aceite de oliva.
- 1 cebolla grande picadita, unos 250 gramos.
- 2 dientes de ajo machacados.
- 1 cucharadita de jengibre finamente picado.
- 2 cucharadas de cebollín (ciboullete) finamente picado.
- 1 cucharadita de tomillo seco, molido.
- 4 ajíes dulces finamente picados sin venas y sin semillas, unos 70 gramos.
- 1/4 de taza de vino blanco seco.
- 6 calabacines grandes cortados en plumitas, unos 800 gramos, 8 tazas.
- 1/4 de taza de consomé desgrasado de pollo o de carne.
- 1/2 cucharadita de salsa inglesa Worcestershire.
- 1 cucharadita de sal.
- 1/2 cucharadita de pimienta.

Preparación

1. En una sartén al fuego con las dos cucharadas de aceite, se saltean la cebolla con el ajo hasta marchitar.

2. Se le agregan el jengibre, el cebollín (ciboullete), el tomillo, el ají dulce picadito y se revuelve. Se le agrega el vino blanco, se revuelve. Se cocina 2 minutos hasta que se evapore el vino.

3. Se agrega el calabacín cortado en plumitas y se cocina 7 ú 8 minutos. Se le agregan el consomé y la salsa inglesa. Se revuelve. Se agregan la sal y la pimienta y se cocina un minuto hasta secar un poco la salsa.

Calabacines salteados con aji dulce y jengibre

Ensalada de lechuga y berro

Valor Nutricional Ración	
Ración:	1 taza (110 g)
Cantidad por ración:	
Kcal	64
Proteínas	0,5 g
Grasa	4 g
Carbohidratos	9 g
Intercambios aproximados:	
Lista 2=1 Lista 6=3/4	

(8 raciones)
Cantidad obtenida: **8 tazas (860 g)**

Ingredientes

para la ensalada:

- 1 lechuga americana (iceberg), unos 680 gramos, unas 8 tazas.
- 250 gramos de berros, unos 240 gramos o 1 taza de hojas sin apretar, ya limpias y sin tallos gruesos.

para la vinagreta:

- 2 cucharadas de aceite de oliva.
- 1 cucharada de vinagre.
- 4 cucharadas de agua.
- 1/2 cucharada de mostaza.
- 1/2 cucharadita de sal.
- 1/8 de cucharadita de pimienta.
- 1 1/2 cucharaditas de azúcar.

Preparación

de la ensalada:

1. Se eliminan las hojas exteriores y menos tiernas a la lechuga. Las restantes se lavan, se escurren muy bien, se cortan en pedazos y se ponen aparte. Se escogen las hojas de berro, se les eliminan los tallos gruesos. Se lavan y escurren y se ponen aparte con la lechuga.

de la vinagreta:

2. En una licuadora, se baten los ingredientes de la vinagreta hasta emulsionarlos y se revuelve con la lechuga y el berro para servir.

Ensalada de lechuga y berro

Gelatina de fresas con frutas

Valor Nutricional Ración	
Ración:	1/3 de taza (90 g)
Cantidad por ración:	
Kcal	16
Proteínas	-
Grasa	-
Carbohidratos	4 g
Intercambios aproximados:	
Lista 3=1/4	☾

(7 raciones)
Cantidad obtenida: **2 1/2 tazas (644 g)**

Ingredientes

- 1/2 taza de fresas, unos 30 gramos.
- 1/4 de manzana, unos 30 gramos.
- 1/4 de pera, unos 35 gramos.
- 1 taza de agua caliente.
- 1 sobre de gelatina de dieta, sin azúcar, sabor a fresas, unos 10 gramos.
- 1/2 taza de agua helada.

Preparación

1. Se lavan las fresas y se les elimina el pedúnculo. Se pone aparte.

2. Se corta y se pela la manzana en gajos y se pone aparte.

3. Se corta y se pela la pera, se corta en gajos y se pone aparte.

4. En una olla pequeña se calienta 1 taza de agua. Se agrega y se mezcla el contenido del sobre de gelatina. Se revuelve hasta disolver y se agrega 1/2 taza de agua helada. Se revuelve.

5. En un molde de vidrio o moldecitos individuales se colocan las frutas en el fondo del envase, se bañan con la gelatina. Se lleva al refrigerador hasta que endurezca.

Gelatina de fresas con frutas

menú (8)

Hamburguesa
Chayotas guisadas
Lechuga romana salteada
Ensalada de pepinos con yogur y curry
Patilla

Valor Nutricional Menú	
Raciones:	
Hamburguesa	1 unidad (100 g de carne)
Chayotas guisadas	2/3 de taza (140 g)
Lechuga romana salteada	1 taza (100 g)
Ensalada de pepinos con yogur y curry	2/3 de taza (100 g)
Patilla	(300 g)
Kcal	**621**
Proteínas	25 g
Grasa	26,5 g
Carbohidratos	71,5 g

Chayotas guisadas
Lechuga romana salteada

Hamburguesa

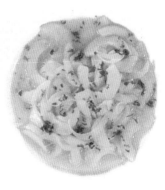

Ensalada de pepinos con yogur y curry

Patilla

Hamburguesa

Servir 1 hamburguesa con su pan+1 rebanada de tomate +1 hoja de lechuga+2 aros de cebolla, salsa ketchup y mostaza.

(8 raciones)
Cantidad obtenida: **8 unidades (800 g)**

Valor Nutricional Ración

Ración: **1 unidad (100 g de carne)**

Cantidad por ración:

Kcal	359
Proteínas	21 g
Grasa	15 g
Carbohidratos	30 g

Intercambios aproximados:

Lista 4=2
Lista 5=3
Lista 6=1

Ingredientes

- 550 gramos de pulpa negra molida de res.
- 1 clara de huevo.
- 1/2 taza de cebolla rallada, unos 100 gramos.
- 3 dientes de ajo machacados.
- 1/2 cucharadita de salsa inglesa Worcestershire.
- 1/2 cucharadita de pimienta.
- 2 cucharaditas de sal.
- 1 cucharadita de perejil picadito.
- 1 cucharada de aceite de oliva.
- 8 panes pequeños para hamburguesa.
- 8 hojas de lechuga.
- 8 ruedas gruesas de tomate manzano, unos 600 gramos.
- 16 aros de cebolla, unos 200 gramos.
- 1/2 cucharada de salsa de tomate ketchup por ración.
- 1/2 cucharada de mostaza por ración.

Preparación

1. Se muele finamente la carne.
2. En un envase se pone la carne y se le agregan la clara de huevo, la cebolla, el ajo, la salsa inglesa, la pimienta, la sal y el perejil. Se mezcla muy bien.
3. Sobre una tabla o superficie lisa y usando un papel encerado por debajo y otro por encima se hacen las hamburguesas de unos 8 a 10 centímetros de diámetro y 1 1/2 centímetros de alto.
4. Sobre la hornilla se pone un budare o una sartén a calentar. Se engrasa con 1 cucharada de aceite y se van friendo las hamburguesas hasta dorar por cada lado, unos 2 ó 3 minutos por lado.
5. Se rebanan los panes por la mitad, se meten en el asador o broiler por unos 10 segundos, hasta que apenas comiencen a dorar. Se sacan del asador e inmediatamente se hace la hamburguesa con la carne, 1 hoja de lechuga, 1 rebanada gruesa de tomate, 2 aros de cebolla y aparte, opcional, 1/2 cucharada de ketchup y de mostaza.

Hamburguesa

Chayotas guisadas

<table>
<tr><td colspan="2">Valor Nutricional Ración</td></tr>
<tr><td>Ración:</td><td>2/3 de taza (140 g)</td></tr>
<tr><td colspan="2">Cantidad por ración:</td></tr>
<tr><td>Kcal</td><td>52</td></tr>
<tr><td>Proteínas</td><td>1</td></tr>
<tr><td>Grasa</td><td>2 g</td></tr>
<tr><td>Carbohidratos</td><td>7,5 g</td></tr>
<tr><td colspan="2">Intercambios aproximados:</td></tr>
<tr><td>Lista 2=1
Lista 6=1/2</td><td></td></tr>
</table>

(7 raciones)
Cantidad obtenida: **5 tazas (990 g)**

Ingredientes

- 1 kilo de chayotas, unas 3 chayotas, unos 750 gramos, ya peladas y sin semillas.
- 6 tazas de agua.
- 2 cucharaditas de sal.
- 1 cucharada de aceite de oliva.
- 1/2 taza de cebolla rallada, unos 100 gramos.
- 1 diente de ajo machacado.
- 2/3 de taza de tomate rallado, sin piel y sin semillas, unos 120 gramos.
- 1 cucharadita de pasta de tomate.
- 1 taza de consomé desgrasado de pollo o de carne.
- 1 cucharadita de perejil picadito.
- 1 cucharadita de sal.
- 1/8 de cucharadita de pimienta.

Preparación

1. Se cortan las chayotas verticalmente en dos. Se les quita el corazón y sin pelar se ponen en una olla con suficiente agua que las cubra, unas 6 tazas y 2 cucharaditas de sal.

2. Se lleva a un hervor y se cocinan por 30 minutos o hasta que ablanden pero no demasiado.

3. Se escurren y se dejan enfriar un poco. Se pelan, se cortan en trocitos de 2 centímetros por lado y se escurren nuevamente. Se dejan aparte.

4. En un caldero pequeño se pone el aceite a calentar. Se agregan la cebolla y el ajo y se fríen hasta marchitar, unos 4 minutos. Se agregan el tomate y la pasta de tomate y se cocinan unos 5 minutos. Se agrega el consomé. Se lleva a un hervor y se cocina a fuego mediano hasta espesar un poco, unos 10 minutos. Se agregan las chayotas, el perejil, la sal, y la pimienta. Se pone a fuego fuerte y se cocina unos 10 a 15 minutos más, hasta que las chayotas ablanden.

Chayotas guisadas

Lechuga romana salteada

Valor Nutricional Ración	
Ración:	1 taza (100 g)
Cantidad por ración:	
Kcal	91,5
Proteínas	1
Grasa	7,5 g
Carbohidratos	5 g
Intercambios aproximados:	
Lista 2=1 Lista 6=1 1/4	

(6 raciones)
Cantidad obtenida: **6 tazas (600 g)**

Ingredientes

- 650 gramos de lechuga romana, unas 8 tazas.
- 3 cucharadas de aceite de oliva.
- 2 dientes de ajo machacados.
- 1/2 taza de cebolla picadita, unos 100 gramos.
- 1 cucharadita de sal.
- 1/8 de cucharadita de pimienta blanca.

Preparación

1. Se eliminan las hojas marchitas a la lechuga. Las restantes se lavan bajo el chorro de agua y se escurren. Se ponen aparte.

2. En una sartén al fuego se pone el aceite a calentar, se agregan los dientes de ajo y la cebolla y se cocinan hasta marchitar. Se eliminan los ajos. Se agregan las hojas de lechuga y se sofríen por 5 minutos. Se sazonan con la sal y la pimienta. Se bajan del fuego y se sirven.

Lechuga romana salteada

menú 8

Ensalada de pepinos con yogur y curry

(7 raciones)
Cantidad obtenida: **5 tazas (700 g)**

Valor Nutricional Ración	
Ración:	2/3 de taza (100 g)
Cantidad por ración:	
Kcal	62
Proteínas	2 g
Grasa	2 g
Carbohidratos	9 g
Intercambios aproximados:	
Lista 2=1 Lista 6=1/2	

Ingredientes

para la ensalada:

- 600 gramos de pepinos, pelados y cortados en ruedas, muy delgadas, unas 4 1/2 tazas.
- 1 1/2 cucharadita de sal.
- 1/4 de taza, unos 50 gramos, de cebolla picadita muy finamente.

para la vinagreta:

- 1 yogur natural descremado, unos 150 gramos.
- 1 cucharada de aceite de oliva.
- 1 cucharadita de polvo curry.
- 1 /16 de cucharadita de pimienta blanca.
- 1/4 de cucharadita de sal.
- 1 cucharada de vinagre.
- 1 ramita de hierbabuena.
- 1 cucharadita de azúcar.

Preparación

de la ensalada:

1. Se lavan, se pelan y se cortan en ruedas muy delgadas los pepinos. Se les mezcla la sal y se ponen en un colador sobre un envase y se dejan aparte por 30 minutos para desaguarlos. Se pela y se corta la cebolla muy finamente. Se pone aparte.

de la vinagreta:

2. Por otra parte, se prepara la vinagreta mezclando en un envase el yogur, el aceite, el polvo curry, la pimienta, el resto de la sal, el vinagre, el azúcar y la ramita entera de hierbabuena.

3. Se escurre el pepino a través de un colador de alambre, apretándolo contra las paredes del colador o poniéndolo en un paño y torciendo el paño para eliminarle el exceso de agua. Se pone en un envase y se le agrega la cebolla picadita. Se le revuelve la vinagreta.

Ensalada de pepinos con yogur y curry

Patilla

Valor Nutricional Ración	
Ración:	(300 g)
Cantidad por ración:	
Kcal	60
Proteínas	-
Grasa	-
Carbohidratos	15 g
Intercambios aproximados:	
Lista 3=1	

Patilla

Sopa de ajoporro
Salmón con salsa tártara
Arroz blanco
Juliana de vegetales
Tomates cherry rellenos con queso de cabra
Gelatina de frambuesas con manzana y fresas

Valor Nutricional Menú	
Raciones:	
Sopa de ajoporro	**1 taza (225 g)**
Salmón con salsa tártara	**(85-90 g)**
Arroz blanco	**1/3 de taza (55 g)**
Juliana de vegetales	**3/4 de taza (120 g)**
Tomates cherry rellenos con queso de cabra	**4 tomates (65 g)**
Gelatina de frambuesas con manzana y fresas	**1/3 de taza (90 g)**
Kcal	**614,5**
Proteínas	**34 g**
Grasa	**36,5 g**
Carbohidratos	**37,5 g**

Salmón con salsa tártara
Arroz blanco
Juliana de vegetales

Sopa de ajoporro

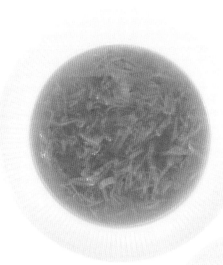

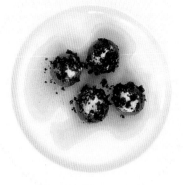

Gelatina de frambuesas con manzana y fresas

Tomates cherry rellenos
con queso de cabra

Sopa de ajoporro

(8 raciones)
Cantidad obtenida: **8 tazas (1.790 g)**

Valor Nutricional Ración	
Ración:	**1 taza (225 g)**
Cantidad por ración:	
Kcal	58
Proteínas	0,5 g
Grasa	4 g
Carbohidratos	5 g
Intercambios aproximados:	
Lista 2=1	
Lista 6=1/2	

Ingredientes

- 2 cucharadas de aceite de oliva.
- 4 tazas de la parte blanca y algo de lo verde de 3 ajoporros, cortados en ruedas finas, unos 350 gramos.
- 8 tazas de consomé desgrasado de pollo o de carne.
- 2 cucharaditas de sal.
- 1/4 de cucharadita de pimienta blanca.

Preparación

1. En una olla se pone el aceite a calentar, se agrega el ajoporro y se sofríe hasta marchitar, unos 7 minutos.
2. Se agrega el consomé, se lleva a un hervor, se pone a fuego suave, se agregan la sal y la pimienta y se hierve por unos 10 minutos más. Se revuelve, a fuego bajo se cocina 1 ó 2 minutos y se retira del fuego.

Sopa de ajoporro

Salmón con salsa tártara

Servir 85 a 90 gramos de salmón + 1 cucharadita de salsa tártara por ración.

(8 raciones)
Cantidad obtenida: **8 filetes (800 g)**

Valor Nutricional Ración	
Ración:	(85-90 g)
Cantidad por ración:	
Kcal	274
Proteínas	21,5 g
Grasa	20 g
Carbohidratos	2 g
Intercambios aproximados:	
Lista 5=3	
Lista 6=1	●●●◐

Ingredientes

para el salmón:

- 8 filetes de salmón de unos 100 gramos cada uno, sin piel.
- 1 limón.
- 2 litros de agua.
- 2 cebollas medianas peladas y en ruedas, unos 260 gramos.
- 1/2 zanahoria mediana, pelada y en ruedas, unos 90 gramos, 3/4 de taza.
- 1 tallo de celerí, unos 45 gramos, 1/4 de taza.
- Lo blanco y algo de lo verde de un ajo porro, cortado a lo largo en cuatro, unos 70 gramos.
- 1 ramita de tomillo.
- Lo blanco de 2 cebollines, unos 30 gramos, 1/4 de taza.
- 2 ramitas de perejil.
- 12 granos de pimienta negra machacados.
- 2 cucharaditas de sal.

para la salsa tártara:

- 3/4 de taza de salsa mayonesa.
- 1/2 diente de ajo machacado.
- 1 cucharada de cebolla.
- 1 cucharada de pepinillos, no dulces.
- 3 hojas de estragón.
- 1 1/4 cucharadita de cebollín.
- 1 cucharadita de perejil.
- 2 cucharaditas de alcaparras pequeñas, unas 24 alcaparras. Todo picadito.
- 4 a 5 gotas de salsa picante.

Preparación

del salmón:

1. Se limpia el salmón. Se lava. Se enjuaga en agua con limón y luego en agua corriente.

2. En una olla se ponen el agua, la cebolla, la zanahoria, el celerí, el ajoporro, el tomillo, el cebollín, el perejil, la pimienta y la sal. Se pone al fuego, se lleva a un hervor y se cocina por 5 minutos.

3. Se agrega el pescado a la olla. Se lleva a un hervor y, a fuego suave, pero hirviendo, se cocina por unos 8 a 10 minutos, no debe quedar demasiado cocido. Se retira del fuego. Se deja reposar en el líquido y, cuando se puedan manipular, se le elimina la piel, se pone en una bandeja y se sirve acompañado con salsa tártara.

de la salsa tártara:

4. En un envase se coloca la salsa mayonesa, se le agrega el resto de los ingredientes bien picaditos y se mezcla bien. Se sirve con pescados, croquetas y carnes.

Salmón con salsa tártara

Arroz blanco

Valor Nutricional Ración	
Ración:	1/3 de taza (55 g)
Cantidad por ración:	
Kcal	90,5
Proteínas	2 g
Grasa	2,5 g
Carbohidratos	15 g
Intercambios aproximados:	
Lista 4=1	
Lista 6=1/2	

(6 raciones)

Cantidad obtenida: **2 tazas (330 g)**

Ingredientes

- 1 taza de arroz.
- 1 1/2 taza de agua.
- 1/2 cebolla pequeña cortada en dos, unos 45 gramos.
- 1/4 de pimentón rojo-verde, unos 50 gramos.
- 1 diente de ajo.
- 1 cucharadita de sal.
- 1 cucharada de aceite de oliva.

Preparación

1. Se lava el arroz en un colador de alambre, frotándolo bajo agua corriente hasta que ésta salga transparente. Se escurre. Inmediatamente se pone en una olla pesada y con tapa pesada, con el agua, la cebolla, el pimentón, el ajo, la sal y el aceite. Se revuelve bien.

2. Se enciende el fuego y sin tapar se lleva a un hervor a fuego fuerte. Se cocina hasta que casi evapore el agua, y aparezcan huecos en la superficie, unos 5 a 7 minutos. Se tapa, se pone a fuego muy suave y se cocina sin revolver por 20 a 22 minutos más o hasta que esté blando, seco y con los granos separados.

3. El arroz se revuelve con un tenedor al principio y se revuelve nuevamente cuando está listo y se apaga el fuego, se le eliminan la cebolla, el ajo y el pimentón.

Arroz blanco

menú 9

Juliana de vegetales

Valor Nutricional Ración

Ración:	3/4 de taza (120 g)
Cantidad por ración:	
Kcal	74
Proteínas	2 g
Grasa	4 g
Carbohidratos	7,5 g
Intercambios aproximados:	

Lista 2=1
Lista 6=1/2

(8 raciones)
Cantidad obtenida: **6 tazas (980 g)**

Ingredientes

- 1 pimentón rojo, cortado en juliana, unos 400 gramos.
- 1 pimentón verde, cortado en juliana, unos 400 gramos.
- 1 zanahoria pequeña, pelada y cortada en juliana, unos 100 gramos.
- 1 cebolla, cortada en plumitas, unos 300 gramos, 2 tazas.
- 2 cucharadas de aceite de oliva.
- 3 dientes de ajo machacados.
- 1 1/2 cucharadita de sal.
- 1 cucharadita de salsa inglesa Worcestershire.
- 1/2 cucharadita de pimienta blanca, molida.

Preparación

1. Se lavan los pimentones, se les sacan las semillas y las venas, se cortan en juliana fina y se ponen aparte.
2. La zanahoria se pela y se corta en juliana. Se pone aparte.
3. La cebolla se corta en plumitas. Se pone aparte.
4. En una sartén se pone el aceite a calentar y se agregan el ajo machacado, la cebolla, los pimentones, la zanahoria, la sal, la salsa inglesa y la pimienta y se saltean por 5 minutos. Se apaga el fuego y se sirven de inmediato.

Juliana de vegetales

Tomates cherry rellenos con queso de cabra

Valor Nutricional Ración	
Ración:	4 tomates (65 g)
Cantidad por ración:	
Kcal	106
Proteínas	8 g
Grasa	6 g
Carbohidratos	5 g
Intercambios aproximados:	
Lista 2=1	
Lista 6=1/2	

(6 raciones)
Cantidad obtenida: **24 tomates (400 g)**

Ingredientes

- 400 gramos de tomates cherry, unos 24 tomates.
- 8 cucharadas, unos 150 gramos de queso de cabra, 1/2 taza.
- 2 cucharadas de aceite de oliva.
- 1 diente de ajo machacado.
- 1 cucharadita de sal.
- 1/2 cucharadita de pimienta blanca.
- 6 hojitas de albahaca para adornar.

Preparación

1. Se lavan muy bien los tomates y se secan. Se ponen aparte.
2. Se les corta una pequeña tapita por la parte superior del tallo y se les saca parte de la pulpa, cuidando de no romperlos.
3. Se rellenan los tomates con el queso de cabra.
4. Aparte, en un envase se mezclan hasta emulsionar el aceite, el ajo machacado, la sal y la pimienta y con ésto se bañan los tomates. Se adornan con hojitas de albahaca cortadas en juliana.

Tomates cherry rellenos con queso de cabra

Gelatina de frambuesas con manzana y fresas

Valor Nutricional Ración

Ración:	1/3 de taza (90 g)
Cantidad por ración:	
Kcal	12
Proteínas	-
Grasa	-
Carbohidratos	3 g
Intercambios aproximados:	
Lista 3=1/4	☾

(7 raciones)
Cantidad obtenida: **2 1/2 tazas (644 g)**

Ingredientes

- 1/4 de manzana, unos 30 gramos.
- 1/2 taza de fresas, unos 30 gramos.
- 1 taza de agua caliente.
- 1 sobre de gelatina de dieta, sin azúcar, sabor a frambuesas, o de su sabor predilecto, unos 10 gramos.
- 1/2 taza de agua helada.

Preparación

1. Se corta y se pela la manzana en gajos y se pone aparte.
2. Se lavan las fresas y se elimina el pedúnculo. Se ponen aparte.
3. En una olla pequeña se calienta 1 taza de agua. Se agrega y se mezcla el contenido del sobre de gelatina de frambuesas. Se revuelve hasta disolver y se agrega 1/2 taza de agua helada. Se revuelve.
4. En un molde de vidrio o moldecitos individuales se colocan las fresas y las manzanas en el fondo del envase, se bañan con la gelatina. Se lleva al refrigerador hasta que endurezca.

Nota: Cada ración tiene unos 15 gramos de fruta.

Gelatina de frambuesas con manzana y fresas

menú  10

Sopa espesa de vegetales
Pulpo en vinagreta
Pizza con queso, tomate, hongos y anchoas
Ensalada de lechugas
Gelatina de parchita con frutas

Valor Nutricional Menú	
Raciones:	
Sopa espesa de vegetales	**1 taza (220 g)**
Pulpo en vinagreta	**3/4 de taza (140 g)**
Pizza con queso, tomate, hongos y anchoas	**1/8 de pizza (140 g)**
Ensalada de lechugas	**1 taza (170 g)**
Gelatina de parchita con frutas	**1/3 de taza (90 g)**
Kcal	**552,5**
Proteínas	**30 g**
Grasa	**20,5 g**
Carbohidratos	**62 g**

Pulpo en vinagreta

Sopa espesa de vegetales

Pizza con queso, tomate, hongos y anchoas

Gelatina de parchita con frutas

Ensalada de lechugas

Sopa espesa de vegetales

Valor Nutricional Ración	
Ración:	1 taza (220 g)
Cantidad por ración:	
Kcal	83
Proteínas	4 g
Grasa	3 g
Carbohidratos	10 g
Intercambios aproximados:	
Lista 2=2 Lista 6=1/2	

(10 raciones)
Cantidad obtenida: **10 tazas (2.200 g)**

Ingredientes

- Unos 200 gramos de cebolla, 1 1/2 taza.
- 2 dientes de ajo machacados.
- 1 taza, unos 145 gramos de zanahoria.
- Unos 380 gramos, 2 1/2 tazas de calabacín.
- 2 tazas, unos 210 gramos de celerí.
- 1 taza, unos 75 gramos de cebollín.
- 2 tazas, unos 170 gramos de berenjena.
- 1/2 taza de pimentón, unos 100 gramos. Todo picadito.
- 2 cucharadas de aceite de oliva.
- 4 tazas de consomé desgrasado de pollo o de carne.
- 1 cucharadita de sal.
- 1/8 de cucharadita de pimienta.

Preparación

1. Se lavan y se cortan los vegetales según se indica.
2. En una olla se pone el aceite a calentar. Se agregan la cebolla, el ajo, la zanahoria, el calabacín, el celerí, el cebollín, la berenjena, el pimentón y se sofríen hasta marchitar unos 25 minutos.
3. Se agregan el caldo de pollo o carne, la sal y la pimienta. Se lleva nuevamente a un hervor, se pone a fuego mediano y se cocina por 25 minutos o hasta que ablanden los vegetales.

Sopa espesa de vegetales

Pulpo en vinagreta

Servir 75 gramos de pulpo y completar 3/4 de taza (140 gramos) con el resto.

(8 raciones)
Cantidad obtenida: **(1.080 g)**

Valor Nutricional Ración	
Ración:	3/4 de taza (140 g)

Cantidad por ración:

Kcal	138
Proteínas	17 g
Grasa	6 g
Carbohidratos	4 g

Intercambios aproximados:

Lista 2=1
Lista 5=3
Lista 6=1/2

Ingredientes

para el pulpo:

- 1 pulpo de unos 1.200 gramos ya limpio.
- 1 limón.
- 6 tazas de agua.

para la vinagreta:

- 3 cucharadas de aceite de oliva.
- 2 cucharadas de vinagre.
- 2 cebollas medianas, unos 300 gramos, picada en plumitas.
- 2 dientes de ajo machacados.
- 1 1/2 pimentón, unos 300 gramos, finamente picado.
- 2 cucharaditas de pimentón molido.
- 3 cucharaditas de sal.
- 1/8 de cucharadita de pimienta molida.
- 5 gotas de salsa picante.
- 2 cucharadas de cilantro picadito.

Preparación

del pulpo:

1. Se lava el pulpo bajo el chorro de agua, dándole golpes sobre el fregadero para eliminar la arenilla contenida en sus ventosas, se enjuaga con jugo de limón y luego con abundante agua.

2. En una olla se ponen las 6 tazas de agua. Se lleva a un hervor, se sumerge y se saca de inmediato, tres veces el pulpo para que se conserve rojo. Se lleva nuevamente a un hervor y se cocina tapado 1 hora 20 minutos o hasta que esté blando. Se baja del fuego, se escurre y se deja enfriar antes de picarlo en pedazos de no más de 1 a 2 centímetros de largo con la ayuda de una tijera.

de la vinagreta:

3. Entretanto, se mezclan los ingredientes de la vinagreta, se agrega y revuelve el pulpo. Se mete en la nevera para servirlo frío.

Pulpo en vinagreta

Pizza con queso, tomate, hongos y anchoas

(1 pizza de 35 cm de diámetro o de 30 x 40 cm)

(8 raciones)
Cantidad obtenida: **1 pizza (1.135 g)**

Valor Nutricional Ración	
Ración:	1/8 de pizza (140 g)

Cantidad por ración:	
Kcal	235,5
Proteínas	7 g
Grasa	7,5 g
Carbohidratos	35 g

Intercambios aproximados:

Lista 4=2
Lista 5=1 ●●●◐
Lista 6=1

Ingredientes

para la masa:

- 1/2 taza de agua tibia.
- 1 cucharadita de azúcar.
- 15 gramos de levadura en pasta o granulada, 1 cucharada.
- 3 cucharadas de aceite de oliva.
- 1 cucharadita de sal.
- 2 tazas de harina.
- Harina extra para amasar.

para la pizza:

- 1/2 cucharada de aceite de oliva para engrasar el molde.
- 2 cucharadas de albahaca, picadita.
- 1/8 de cucharadita de pimienta.
- 1 kilo de tomate tipo italiano, "perita", picadito, unas 4 tazas, sin piel y sin semillas.
- 1 ó 2 dientes de ajo, machacados.
- 1 cucharadita de sal.
- 1 lata de anchoas de 30 gramos, peso escurrido, unas 10 anchoas.
- Unos 350 a 400 gramos de queso de mozzarella o de mano, rallado grueso, unas 3 tazas.
- Unos 300 gramos de hongos (champiñones) rebanados, unas 2 tazas.

Preparación

de la masa:

1. En un envase pequeño se ponen el agua tibia y el azúcar. Se le revuelve la levadura, se cubre y se deja en reposo en un lugar abrigado por unos 30 minutos.

2. En un envase se mezclan el agua con la levadura, el aceite y la sal y, poco a poco, se le agrega la harina. Se amasa hasta lograr una masa suave que no se pegue de las manos. Se deja reposar 1 hora, cubierta con un paño, en lugar abrigado y sin corrientes. La masa debe, al menos, doblar de volumen.

3. Se pone la masa sobre una mesa o una tabla ligeramente enharinadas, se amasa brevemente, se hace una bola y se vuelve a dejar reposar en el envase, cubierto, por 15 minutos más.

de la pizza:

4. Entretanto, se precalienta el horno a 350° F., y se engrasa una bandeja preferiblemente de vidrio o de aluminio, para hornear de las dimensiones indicadas.

5. En un envase se mezclan la albahaca, la pimienta, el tomate, el ajo, la sal y las anchoas picaditas. Se revuelve. Se pone aparte.

6. Se ralla el queso. Se pone aparte.

7. Se limpian los hongos (champiñones), se cortan en rebanadas delgadas y se ponen aparte.

8. Se pone la masa nuevamente sobre la mesa enharinada, se amasa un poco y, con un rodillo enharinado, se estira hasta alcanzar, aproximadamente, las dimensiones necesarias para cubrir la bandeja donde se va a hornear. La masa se enrolla en el rodillo y se desenrolla sobre la bandeja. Con los dedos se estira la masa hasta cubrir la bandeja y queda lista para rellenarla.

9. Sobre la masa, se extiende uniformemente la mezcla que se tiene aparte y encima se extienden el queso y los hongos.

10. Se mete la bandeja en el horno y se hornea hasta dorar por los bordes de la pizza, unos 35 a 40 minutos.

Pizza con queso, tomate, hongos y anchoas

Ensalada de lechugas

Valor Nutricional Ración	
Ración:	1 taza (170 g)
Cantidad por ración:	
Kcal	80
Proteínas	2 g
Grasa	4 g
Carbohidratos	9 g
Intercambios aproximados:	
Lista 2=1 Lista 6=1	

(4 raciones)
Cantidad obtenida: **4 tazas (680 g)**

Ingredientes

para la ensalada:

- 250 gramos de lechuga romana.
- 250 gramos de lechuga americana, ("Iceberg").
- 250 gramos de lechuga criolla, ("Boston").

para la vinagreta:

- 1 cucharada de aceite de oliva.
- 1 cucharada de vinagre.
- 4 cucharadas de agua.
- 1/2 cucharada de mostaza.
- 1/2 cucharadita de sal.
- 1/8 de cucharadita de pimienta.
- 1 1/2 cucharaditas de azúcar.

Preparación

de la ensalada:

1. Se lavan bien las lechugas, se escurren y se ponen en un envase. Se les revuelve la vinagreta y se sirve.

de la vinagreta:

2. En una licuadora, se baten los ingredientes de la vinagreta hasta emulsionarlos.

Ensalada de lechugas

Gelatina de parchita con frutas

Valor Nutricional Ración	
Ración:	1/3 de taza (90 g)
Cantidad por ración:	
Kcal	16
Proteínas	-
Grasa	-
Carbohidratos	4 g
Intercambios aproximados:	
Lista 3=1/4	

(7 raciones)
Cantidad obtenida: **2 1/2 tazas (644 g)**

Ingredientes

- 1/2 manzana, unos 80 gramos.
- 1 mandarina, unos 80 gramos.
- 1/2 taza de moras, unos 80 gramos.
- 1 sobre de gelatina de dieta, sin azúcar, sabor a parchita, unos 10 gramos.
- 1 taza de agua caliente.
- 1/2 taza de agua helada.

Preparación

1. Se corta la manzana en gajitos y se pone aparte.

2. Se pela la mandarina. Se eliminan la membrana blanca que la cubre y las semillas y se ponen aparte.

3. Se lavan las moras y se les elimina el pedúnculo. Se ponen aparte.

4. En una olla pequeña se calienta 1 taza de agua. Se agrega y se mezcla el contenido del sobre de gelatina. Se revuelve hasta disolver y se agrega 1/2 taza de agua helada. Se revuelve.

5. En un molde de vidrio o moldecitos individuales se colocan las frutas en el fondo del envase, se bañan con la gelatina. Se lleva al refrigerador hasta que endurezca.

Gelatina de parchita con frutas

menú  11

Crema de espinacas
Plátano horneado
Camarones con vegetales
Ensalada de lechuga romana
Gelatina de mora

Valor Nutricional Menú	
Raciones:	
Crema de espinacas	3/4 de taza (165 g)
Plátano horneado	(50 g)
Camarones con vegetales	1 taza (150 g)
Ensalada de lechuga romana	1 taza (100 g)
Gelatina de mora	1/3 de taza (80 g)
Kcal	**451**
Proteínas	26,5 g
Grasa	21 g
Carbohidratos	39 g

Crema de espinacas

Camarones con vegetales
Plátano horneado

Gelatina de mora

Ensalada de lechuga romana

Crema de espinaca

Valor Nutricional Ración		
Ración:	3/4 de taza (165 g)	
Cantidad por ración:		
Kcal		93
Proteínas		4 g
Grasa		5 g
Carbohidratos		8 g
Intercambios aproximados:		
Lista 2=1 1/2		
Lista 6=1		

(8 raciones)
Cantidad obtenida: **6 tazas (1.315 g)**

Ingredientes

- 3 cucharadas de aceite de oliva.
- 1/2 taza de cebolla picadita.
- 1 kilo de espinacas ó 1/2 kilo de hojas sin tallos, unas 11 ó 12 tazas no demasiado apretadas.
- 6 tazas de consomé desgrasado de pollo o de carne.
- 3 cucharaditas de sal.
- 1/8 de cucharadita de pimienta.
- 1/3 taza de leche descremada.

Preparación

1. En una olla se ponen 3 cucharadas de aceite a calentar. Se agrega la cebolla y se cocina hasta marchitar, unos 3 ó 4 minutos.

2. Se lavan las hojas de espinaca, se les quitan las partes duras. Se sacuden para quitarles el exceso de agua. Se cortan finamente y se agregan, sin secar, a la olla. Se cocinan a fuego fuerte tapadas, hasta marchitar, unos 7 minutos. Se agrega el consomé y se lleva a un hervor revolviendo constantemente. Se cocina 5 minutos.

3. Se pasa todo al vaso de una trituradora. Se tritura bien. Se vuelve a la olla. Se agrega la sal y la pimienta.

4. Se lleva nuevamente a un hervor. Se agrega la leche descremada batiendo vigorosamente. Se retira del fuego.

Crema de espinaca

Plátano horneado

Valor Nutricional Ración	
Ración:	(50 g)
Cantidad por ración:	
Kcal	68
Proteínas	2 g
Grasa	-
Carbohidratos	15 g
Intercambios aproximados:	
Lista 4=1	●

Cantidad obtenida: **1 unidad**

Ingredientes

• 1 plátano maduro con la piel ya negra.

Preparación

1. Se precalienta el horno a 400º F.

2. Se le cortan las puntas al plátano y se le hace un corte a todo lo largo de la piel.

3. Se pone con la piel sobre una bandeja de metal para hornear y se mete en el horno. Se hornea por 30 a 35 minutos en total, hasta dorar, dándole 2 ó 3 vueltas para que se cocine uniformemente. Se sirve inmediatamente.

Plátano horneado

Camarones con vegetales

**Servir unos 70 a 80 gramos de camarones
y completar 1 taza ó 150 gramos, con vegetales.**

Valor Nutricional Ración

Ración:	1 taza (150 g)
Cantidad por ración:	
Kcal	182,5
Proteínas	18,5 g
Grasa	8,5 g
Carbohidratos	8 g

Intercambios aproximados:
Lista 2= 1 1/2
Lista 5=3
Lista 6=1 1/2

(8 raciones)
Cantidad obtenida: **8 tazas (1.220 g)**

Ingredientes

- 1 1/2 kilo de camarones o
  1/2 kilo de camarones limpios
  y enteros o cortados en trozos
  medianos.
- 250 gramos, 1 1/4 de taza,
  de calabacín.
- 200 gramos, 2 tazas de gajos
  de brócoli.
- Agua y 3 cucharaditas de sal
  para cocinar los vegetales según
  se indica en la preparación.
- Hielo.
- 4 cucharadas de aceite de oliva.
- 1/4 de cucharadita de sal.
- 1/8 de cucharadita de pimienta.
- 200 gramos, 1 1/4 de taza,
  de cebolla cortada en trozos
  medianos.
- 250 gramos de pimentón cortado
  en trozos medianos, 1 1/4 de taza.

Preparación

1. Se pelan los camarones. Se les elimina el intestino o tripita negra que tienen por encima a lo largo del dorso. Se lavan. Se enjuagan en agua con limón. Se enjuagan en agua corriente. Se ponen aparte.

2. Los calabacines se raspan con un cuchillo debajo del agua corriente, sin llegar a eliminarles completamente la piel. Se cortan a lo largo. Se les eliminan las semillas y se cortan en tajaditas.

3. Los brócolis se dividen en gajos pequeños.

4. Los vegetales se cocinan separadamente, cada vez, en 2 tazas de agua hirviendo con 3 cucharaditas de sal. El calabacín se cocina 1 minuto, los brócolis 3 minutos, siempre contados a partir de que el agua hierva de nuevo. Al retirarlos del fuego se escurren y también por separado se ponen en agua con hielo por 2 ó 3 minutos. Se escurren y se ponen aparte.

5. Utilizando dos sartenes separadas, se ponen en cada una 2 cucharadas de aceite a calentar. En la primera se agregan los camarones, se les agrega la sal y la pimienta y en la segunda se ponen primero la cebolla y el pimentón y se cocinan hasta que comiencen a marchitar. Luego se agregan el resto de los vegetales y se cocinan por unos 5 minutos. Siempre revolviendo, evitando que se quemen.

6. Se pasan los vegetales a la sartén con los camarones, se revuelve bien y se pasa a una bandeja para llevar a la mesa de inmediato.

Camarones con vegetales

Ensalada de lechuga romana

Valor Nutricional Ración	
Ración:	1 taza (100 g)
Cantidad por ración:	
Kcal	106,5
Proteínas	2 g
Grasa	7,5 g
Carbohidratos	8 g
Intercambios aproximados:	
Lista 2=1 Lista 6=1 1/2	

(4 raciones)
Cantidad obtenida: **4 tazas (400 g)**

Ingredientes

para la ensalada:

- 600 gramos de lechuga romana, unos 400 gramos ya limpia.

para la vinagreta:

- 2 cucharadas de aceite de oliva.
- 1 cucharada de vinagre.
- 4 cucharadas de agua.
- 1/2 cucharadita de mostaza.
- 1 cucharadita de sal.
- 1/8 de cucharadita de pimienta.
- 1 1/2 cucharaditas de azúcar.

Preparación

de la ensalada:

1. Se escogen las hojas de la lechuga desechando las que estén marchitas, se lavan bien, se escurren y se ponen en aparte.

de la vinagreta:

2. En una licuadora, se baten los ingredientes de la vinagreta hasta emulsionarlos. Se revuelve con la lechuga y se sirve.

Ensalada de lechuga romana

menú 11

Gelatina de mora

(7 raciones)
Cantidad obtenida: **2 1/2 tazas (644 g)**

Valor Nutricional Ración	
Ración:	**1/3 de taza (80 g)**
Cantidad por ración:	
Kcal	-
Proteínas	-
Grasa	-
Carbohidratos	-
Intercambios aproximados:	
Libre	

Ingredientes

- 1 taza de agua caliente.
- 1 sobre de gelatina de dieta, sin azúcar, sabor a mora, unos 10 gramos.
- 1/2 taza de agua fría.

Preparación

1. En una olla pequeña se lleva a un hervor 1 taza de agua. Se le agrega y se le mezcla el contenido del sobre de gelatina de mora. Se revuelve hasta disolver y se le agrega 1/2 taza de agua fría. Se revuelve.
2. En un molde de vidrio poco profundo de unos 22 x 11 x 6 cm o moldecitos individuales se vierte la gelatina. Se Lleva al refrigerador hasta que endurezca.

Gelatina de mora

menú  12

Sopa de pescado
Escarolas sudadas
Plátano horneado
Ensalada César
Gelatina de yogur y de limón con fresas

Valor Nutricional Menú	
Raciones:	
Sopa de pescado	**1 taza (240 g)**
Escarolas sudadas	**1 taza (220 g)**
Plátano horneado	**(50 g)**
Ensalada César	**3/4 de taza (85 g)**
Gelatina de yogur y de limón con fresas	**1/3 de taza (90 g)**
Kcal	**509,5**
Proteínas	**32,5 g**
Grasa	**23,5 g**
Carbohidratos	**42 g**

Sopa de pescado

Escarolas sudadas
Plátano horneado

Gelatina de yogur y de limón con fresas

Ensalada César

Sopa de pescado

Servir 100 gramos de pescado y completar 1 taza con el resto de la sopa.

Valor Nutricional Ración	
Ración:	**1 taza (240 g)**
Cantidad por ración:	
Kcal	185
Proteínas	25 g
Grasa	5 g
Carbohidratos	10 g
Intercambios aproximados:	
Lista 2=2	
Lista 5=3	
Lista 6=1/2	

(15 raciones)
Cantidad obtenida: **15 tazas (3.600 g)**

Ingredientes

- 1 kilo de pargo o mero en 2 pedazos y 1 kilo de cabeza del mismo pescado.
- 1 limón.
- 12 tazas de agua.
- La parte blanca y algo de lo verde de 2 ajoporros cortados longitudinalmente en dos, unos 140 gramos.
- 2 cebollas cortadas en dos, unos 260 gramos.
- 1/4 de taza, unos 25 gramos, de zanahoria picadita.
- 1/4 de taza, unos 25 gramos de batata blanca picadita.
- 1/2 taza de papas picaditas, 50 gramos.
- 3/4 de taza de celerí picadito, unos 90 gramos.
- 3/4 de taza de la parte blanca de ajoporro, en ruedas delgadas, unos 40 gramos.
- 6 dientes de ajo machacados.
- 4 1/2 cucharaditas de sal.
- 1/4 de cucharadita de pimienta.
- 1 cucharada de encurtidos en mostaza picaditos.
- 10 gotas de salsa picante.
- 2 cucharadas de aceite de oliva.
- 1 taza de cebolla rallada, unos 200 gramos.
- 3/4 de taza de tomate rallado, sin piel y sin semillas, unos 100 gramos.
- 1/2 taza de pimentón rojo picadito.
- 1 cucharada de jugo de limón.
- 1 1/2 cucharada de perejil picadito.
- 4 ramitas de cilantro picadito.
- 2 ramitas de hierbabuena.

Preparación

1. Se limpia y se lava muy bien el pescado, se frota con limón y se enjuaga bajo agua corriente.
2. En una olla se pone el agua con los ajoporros y las cebollas en mitades. Se lleva a un hervor y se cocina por 10 minutos.
3. Se agrega el pescado, se cocina por 15 a 18 minutos. Se elimina la espuma que se forma en la superficie. Se saca el pescado, se pone aparte. Se continúa cocinando la cabeza por 10 a 15 minutos más.
4. Se retira del fuego, se cuela el caldo a través de un colador fino de alambre. Se pone la cabeza aparte para sacarle la carne que todavía tenga y se lava la olla.
5. Se vuelve el caldo a la olla y se le agregan la zanahoria, la batata, la papa, el celerí, el ajoporro en rueditas, el ajo, la sal, la pimienta, el encurtido y la salsa picante, y se cocina unos 15 minutos.
6. Entretanto, se prepara un sofrito poniendo el aceite a calentar en un caldero pequeño, se agrega la cebolla rallada y se sofríe hasta marchitar unos 4 minutos. Se agregan el tomate y el pimentón, se lleva a un hervor y se cocina a fuego mediano por unos 7 minutos.
7. Se agrega el sofrito sin colar a la olla y se cocina por 10 minutos más.
8. Se agregan el jugo de limón y el pescado en pedazos, sin piel y sin espinas y se cocina a fuego mediano por 10 minutos. Se agrega el perejil. Se apaga el fuego y se agregan el cilantro y la hierbabuena que se elimina antes de servir.

Sopa de pescado

Escarolas sudadas

Valor Nutricional Ración	
Ración:	**1 taza (220 g)**
Cantidad por ración:	
Kcal	**105**
Proteínas	**1 g**
Grasa	**9 g**
Carbohidratos	**5 g**
Intercambios aproximados:	
Lista 2=1 Lista 6=1 1/2	

(4 raciones)

Cantidad obtenida: **4 tazas (880 g)**

Ingredientes

- 1 kilo de escarola, unos 600 gramos de hojas escogidas.
- 6 tazas de agua.
- 2 cucharaditas de sal.
- 2 cucharadas de aceite de oliva.
- 2 dientes de ajo enteros.
- 1/2 taza de consomé desgrasado de pollo o de carne.
- 1 cucharadita de sal.
- 1/4 de cucharadita de pimienta.
- 1/2 cucharada de queso parmesano en trocitos.

Preparación

1. Se limpian y se lavan las escarolas, eliminando las puntas y las hojas maltratadas y oscuras.

2. En una olla con el agua y la sal se ponen las hojas de escarola, cada una partida en dos. Se llevan a un hervor y se cocinan 5 minutos. Se apaga. Se escurren y se dejan aparte.

3. En un caldero pequeño se pone el aceite a calentar. Cuando está caliente se le agrega el ajo. Se sofríe hasta dorar, unos 3 minutos, se saca el ajo y se agrega la escarola escurrida. Se revuelve y se agrega el consomé. Se agregan la sal y la pimienta. Se tapa y se pone a fuego mediano. Se cocina por 10 a 15 minutos. Se apaga el fuego y se le agrega el queso, sí se quiere. Se revuelve y se cocina por 1 minuto.

Escarolas sudadas

Plátano horneado

Valor Nutricional Ración	
Ración:	(50 g)
Cantidad por ración:	
Kcal	68
Proteínas	2 g
Grasa	-
Carbohidratos	15 g
Intercambios aproximados:	
Lista 4=1	●

Cantidad obtenida: **1 plátano**

Ingredientes

- 1 plátano maduro con la piel ya negra.

Preparación

1. Se precalienta el horno a 400° F.

2. Se le cortan las puntas al plátano y se le hace un corte a todo lo largo de la piel.

3. Se pone con la piel sobre una bandeja de metal para hornear y se mete en el horno. Se hornea por 30 a 35 minutos en total, dándole 2 ó 3 vueltas para que se cocine uniformemente. Se sirve inmediatamente.

Plátano horneado

Ensalada César

Valor Nutricional Ración	
Ración:	3/4 de taza (85 g)
Cantidad por ración:	
Kcal	**115**
Proteínas	**3,5 g**
Grasa	**9 g**
Carbohidratos	**5 g**
Intercambios aproximados:	
Lista 2=1 Lista 6=2	●●●

(6 raciones)
Cantidad obtenida: **5 tazas (500 g)**

Ingredientes

- 1 kilo de lechuga romana, 2 a 3 lechugas, alrededor de 400 gramos de hojas ya lavadas y escogidas.
- 2 dientes de ajo.
- 2 cucharadas de aceite de oliva.
- 2 cucharadas de vinagre.
- 2 cucharadas de jugo de limón.
- 5 cucharadas de agua.
- 1 cucharadita de salsa inglesa Worcestershire.
- 1/2 cucharadita de mostaza.
- 1/8 de cucharadita de pimienta blanca.
- 1/2 cucharadita de sal.
- 1 lata de filetes de anchoas en aceite de oliva, de 50 gramos.
- 1/4 de taza de queso parmesano rallado, 1/2 cucharada por ración.

Preparación

1. Se precalienta el horno a 300° F.
2. Se eliminan las hojas exteriores y menos tiernas de las lechugas. Se lavan cuidadosamente. Se cortan en pedazos de unos 5 centímetros de largo. Se escurren muy bien hasta secar.
3. Se meten en el horno los dientes de ajo hasta marchitar, unos 4 a 5 minutos, se ponen aparte.
4. Se prepara una vinagreta batiendo en una trituradora el aceite, el vinagre, el jugo de limón, el agua, la salsa inglesa, la mostaza, la pimienta y la sal hasta emulsionarla.
5. Se frota una ensaladera, preferiblemente de madera, con los dientes de ajo. Se eliminan los restos de ajo. Se agrega la lechuga escurrida. Se agrega la vinagreta. Se agregan las anchoas cortadas en mitades. Se agrega el queso. Se revuelve todo muy bien y se sirve inmediatamente.

Ensalada César

Gelatina de yogur y de limón con fresas

Valor Nutricional Ración

Ración:	1/3 de taza (90 g)
Cantidad por ración:	
Kcal	36,5
Proteínas	1 g
Grasa	0,5 g
Carbohidratos	7 g
Intercambios aproximados:	
Lista 1=1/4 Lista 3=1/4	☾☾

(7 raciones)
Cantidad obtenida: **2 1/2 tazas (600 g)**

Ingredientes

- 1 sobre de gelatina de dieta, sin azúcar, sabor a limón, unos 10 gramos.
- 1 taza de agua hirviendo.
- 1/2 taza de agua fría.
- 15 gramos de gelatina sin sabor.
- 1/4 de taza de leche descremada.
- 1 yogur natural descremado y endulzado con edulcorante, 150 gramos.
- 1/2 taza de fresas picadas por la mitad, unos 120 gramos.

Preparación

1. Disolver la gelatina de limón en el agua hirviendo y agregar y mezclar el agua fría. Verter en un molde de vidrio y llevar al refrigerador hasta que tome consistencia.

2. En un envase pequeño hidratar los 15 gramos de gelatina sin sabor en 1/4 de taza de leche. Llevar al baño de María hasta disolver. Bajar del fuego y agregar el yogur y mezclar. Poner aparte.

3. Se lavan y se les elimina el pedúnculo a las fresas y se cortan por la mitad. Se agregan y se revuelve suavemente a la gelatina con el yogur. Se vierte la mezcla sin revolver sobre la gelatina de limón que ya debe estar cuajada y se lleva a refrigerar nuevamente hasta que tome consistencia.

Gelatina de yogur y de limón con fresas

Sopa de lechuga, tomate y clara de huevo
Pollo pebre
Arroz con cilantro
Calabacines salteados
Ensalada de repollo y piña
Gelatina de cerezas

Valor Nutricional Menú	
Raciones:	
Sopa de lechuga, tomate y clara de huevo	**1 taza (225 g)**
Pollo pebre	**1 taza (100 g)**
Arroz con cilantro	**1/3 de taza (40 g)**
Calabacines salteados	**1 taza (100 g)**
Ensalada de repollo y piña	**3/4 de taza (130 g)**
Gelatina de cerezas	**1/3 de taza (80 g)**
Kcal	**537**
Proteínas	**29 g**
Grasa	**29 g**
Carbohidratos	**40 g**

Pollo pebre
Arroz con cilantro
Calabacines salteados

Sopa de lechuga, tomate
y clara de huevo

Ensalada de repollo y piña

Gelatina de cerezas

Sopa de lechuga, tomate y clara de huevo

Valor Nutricional Ración	
Ración:	1 taza (225 g)
Cantidad por ración:	
Kcal	32
Proteínas	3 g
Grasa	-
Carbohidratos	5 g
Intercambios aproximados:	
Lista 2=1	●

(8 raciones)
Cantidad obtenida: **8 tazas (1.800 g)**

Ingredientes

• 6 tazas de consomé desgrasado de pollo o de carne.

• 2 tazas de tomate picadito, sin piel y sin semillas, unos 330 gramos.

• 1/2 a 1 cucharadita de sal.

• 1/4 de cucharadita de pimienta blanca.

• 9 tazas de lechuga picadita, unos 320 gramos.

• 1 claras de huevo ligeramente batidas.

Preparación

1. En una olla se pone el consomé a fuego fuerte. Se lleva a un hervor. Al hervir se le agregan el tomate, la sal y la pimienta. Se cocina 5 minutos. Se agrega la lechuga. Se le agregan las claras de huevo ligeramente batidas, revolviendo con un batidor de alambre, para que se formen hilos. Se cocina 2 minutos más y se retira del fuego.

Sopa de lechuga, tomate
y clara de huevo

Pollo pebre

Valor Nutricional Ración	
Ración:	(100 g, sin hueso)
Cantidad por ración:	
Kcal	261,5
Proteínas	21 g
Grasa	17,5 g
Carbohidratos	5 g
Intercambios aproximados:	
Lista 5=3 Lista 6=1	●●●●

(6 raciones)
Cantidad obtenida: **1 pollo (1.220 g con hueso)**

Ingredientes

- 1 pollo de 1 1/2 a 2 kilos.
- 1 limón.
- 1 cucharada de aceite de oliva.
- 1 taza de cebolla rallada, unos 200 gramos.
- 2 dientes de ajo machacados.
- 1 1/4 de taza, unos 160 gramos, de tomates rallados, sin piel y sin semillas.
- 1/4 de cucharadita de pimienta.
- 2 cucharaditas de sal.
- 1/2 cucharadita de salsa inglesa Worcestershire.
- 1 cucharadita de pimentón rojo, seco, molido.
- 1 1/2 taza de consomé desgrasado de pollo o de carne o de agua.
- 2 cucharadas de vino blanco seco (opcional).
- 10 alcaparras pequeñas enteras.
- 12 aceitunas pequeñas enteras.
- 1 cucharada de perejil picadito.

Preparación

1. Se limpia el pollo, se corta en presas, se frota con limón, se le elimina la piel y se enjuaga bien.

2. En un caldero se calienta el aceite, se agregan las presas de pollo y se sofríen hasta que comiencen a dorar por todos lados, unos 20 minutos en total. Se elimina la grasa que pueda quedar en el caldero.

3. Se agregan la cebolla, el ajo, el tomate, la pimienta, la sal, la salsa inglesa, el pimentón y el consomé o agua. Se lleva a un hervor, se agregan el vino (opcional), las alcaparras y las aceitunas. Se tapa, se baja el fuego y se cocina a fuego suave hasta secar un poco, unos 20 a 25 minutos, se destapa y se continúa cocinando unos 5 minutos destapado, para que seque y se espese un poco la salsa. Se agrega el perejil, se revuelve bien y se apaga el fuego.

Pollo pebre

Arroz con cilantro

Valor Nutricional Ración	
Ración:	1/3 de taza (55 g)

Cantidad por ración:	
Kcal	90,5
Proteínas	2 g
Grasa	2,5 g
Carbohidratos	15 g

Intercambios aproximados:

Lista 4=1
Lista 6=1/2

(9 raciones)
Cantidad obtenida: **3 tazas (480 g)**

Ingredientes

- 1 cucharada de aceite de oliva.
- 1/2 cebolla pequeña, picadita, unos 45 gramos.
- 1 ajo entero, pelado.
- 1 taza de hojas de cilantro ligeramente apretadas.
- 1 1/2 taza de consomé desgrasado de pollo o de carne.
- 1 taza de arroz.
- 1 cucharadita de sal.

Preparación

1. En una olla pesada, de fondo y paredes gruesas, con tapa, se pone el aceite a calentar. Se agregan la cebolla y el ajo a la olla y se sofríen hasta marchitar, unos 4 minutos.

2. Se trituran las hojas de cilantro con el consomé. Se pone aparte.

3. Se lava el arroz frotándolo bajo agua corriente. Se escurre. Inmediatamente se agrega a la olla y se sofríe por 1 minuto, hasta que esté brillante.

4. Se agregan el consomé con el cilantro y la sal. Se revuelve bien, se lleva a un hervor y se cocina a fuego fuerte, hasta secar casi completamente, unos 5 minutos. Se tapa y se continúa cocinando a fuego muy suave hasta que el arroz esté cocido y seco, unos 20 minutos. Se revuelve con un tenedor, se elimina el ajo, se tapa y se apaga el fuego. Se conserva caliente hasta el momento de servirlo.

Arroz con cilantro

Calabacines salteados

Valor Nutricional Ración	
Ración:	**1 taza (100 g)**
Cantidad por ración:	
Kcal	69
Proteínas	1 g
Grasa	5 g
Carbohidratos	5 g
Intercambios aproximados:	
Lista 2=1 Lista 6=1	

(6 raciones)

Cantidad obtenida: **6 tazas (600 g)**

Ingredientes

- 2 cucharadas de aceite de oliva.
- 3 dientes de ajo cortados en dos.
- 4 cucharadas de cebolla picadita muy finamente, unos 40 gramos.
- 1 cucharadita de salsa de ostras.
- 3 tazas de agua y 2 cucharaditas de sal para blanquear los calabacines.
- 4 calabacines, pelados, sin semillas, cortados en plumitas, unos 430 gramos, 4 tazas.
- 1 cucharadita de sal.
- 1/8 de cucharadita de pimienta.

Preparación

1. En una sartén se pone el aceite a calentar, se agregan los ajos cortados en dos y se fríen hasta empezar a dorar. Se agrega la cebolla picadita y la salsa de ostras y se cocina hasta marchitar un poco.

2. Entretanto, en una olla con suficiente agua y sal se blanquean los calabacines por 1 ó 2 minutos. Se sacan de la olla con una espumadera y se vierten en la sartén con el aceite y la cebolla. Se agrega la sal y la pimienta. Se revuelve y se sofríe por 5 minutos. Se baja del fuego y se sirve.

Calabacines salteados

Ensalada de repollo y piña

(6 raciones)
Cantidad obtenida: **5 tazas (720 g)**

Ingredientes

para la ensalada:

- 1/2 kilo de repollo.
- 6 tazas de agua.
- 1 1/2 cucharadita de sal.
- 1/3 de taza de piña cortada en cubitos.

para la vinagreta:

- 1 1/2 cucharada de aceite de oliva.
- 1 cucharada de vinagre.
- 4 cucharadas de agua.
- 1/2 cucharada de mostaza.
- 1 1/2 cucharadita de sal.
- 1/8 de cucharadita de pimienta.
- 1 1/2 de cucharaditas de azúcar.

Preparación

de la ensalada:

1. Se eliminan los nervios gruesos a las hojas de repollo. Se cortan las hojas en tiritas muy delgadas y se lavan en un colador bajo agua corriente.

2. En una olla se ponen el agua y la sal. Se lleva a un hervor. Se agrega el repollo. Se lleva nuevamente a un hervor y se cocina de 2 a 3 minutos, sólo para blanquearlo. Se retira del fuego, se escurre y se deja enfriar.

3. Se lava y se pela la piña y se corta en cubitos de 1 centímetro por lado, hasta completar 1/3 de taza.

de la vinagreta:

4. En una licuadora, se baten los ingredientes de la vinagreta hasta emulsionarlos, se revuelve con el repollo y la piña. Se lleva a la nevera por 2 ó 3 horas, antes de servir.

Ensalada de repollo y piña

Gelatina de cerezas

Valor Nutricional Ración	
Ración:	1/3 de taza (80 g)
Cantidad por ración:	
Kcal	-
Proteínas	-
Grasa	-
Carbohidratos	-
Intercambios aproximados:	
Libre	

(5 raciones)
Cantidad obtenida: **1 3/4 de tazas (500 g)**

Ingredientes

- 1 taza de agua caliente.
- 1 sobre de gelatina sin azúcar, de dieta, sabor a cerezas, unos 10 gramos.
- 3/4 de taza de agua fría.

Preparación

1. En una olla pequeña se lleva a un hervor 1 taza de agua. Se le agrega y se mezcla el contenido del sobre de gelatina de cerezas. Se revuelve hasta disolver y se le agrega 1/2 taza de agua fría. Se revuelve.

2. En un molde de vidrio poco profundo de unos 22 x 11 x 6 o moldecitos individuales, se vierte la preparación y se lleva al refrigerador hasta que endurezca.

Gelatina de cerezas

menú (14)

Crema de espárragos
Vegetales a la parrilla
Punta trasera al horno
Vainitas o tirabeques sudados
Gelatina de fresas con salsa de fresas

Valor Nutricional Menú	
Raciones:	
Crema de espárragos	**3/4 de taza (165 g)**
Vegetales a la parrilla	**(150 g)**
Punta trasera al horno	**(100 g)**
Vainitas o tirabeques sudados	**1/2 taza (60 g)**
Gelatina de fresas con salsa de fresas	**1/3 de taza (80 g)**
Kcal	**534,5**
Proteínas	**29,5**
Grasa	**32,5**
Carbohidratos	**31**

Crema de espárragos

Punta trasera al horno
Vegetales a la parrilla
Vainitas o tirabeques sudados

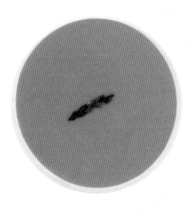

Gelatina de fresas con salsa de fresas

Crema de espárragos

Valor Nutricional Ración

Ración:	3/4 de taza (165 g)

Cantidad por ración:	
Kcal	70,5
Proteínas	2 g
Grasa	2,5 g
Carbohidratos	10 g

Intercambios aproximados:

Lista 2=2
Lista 6=1/2

(6 raciones)
Cantidad obtenida: **6 tazas (1.320 g)**

Ingredientes

- 1/2 kilo de espárragos.
- 1 cucharada de aceite de oliva.
- 1 cebolla mediana, picadita, unos 130 gramos, 3/4 de taza.
- Lo blanco de 2 ajoporros, picadito, unos 200 gramos, 2 tazas.
- 1 papa mediana picadita de unos 100 gramos, 1/2 taza.
- 2 tallos de celerí, picaditos, sin las hojas, unos 90 gramos, 3/4 de taza.
- 1 1/2 cucharadita de sal.
- 1/8 de cucharadita de pimienta.
- 4 tazas de consomé desgrasado de pollo o de carne.
- 1 taza de agua.
- 1/2 cucharadita de sal.
- 1/2 taza de leche descremada.

Preparación

1. Se les cortan las puntas a los espárragos y se ponen aparte. Se les elimina el extremo inferior duro. Se corta el resto de los espárragos en pedazos de 2 centímetros de largo. Se lavan. Se escurren.

2. En una olla se pone el aceite a calentar. Se agregan la cebolla, el ajoporro, la papa picadita, el celerí, los espárragos (sin las puntas), la sal y la pimienta. Se cocinan hasta marchitar, unos 10 minutos. Se escurren y se ponen aparte.

3. Se agrega el consomé, se lleva a un hervor y se cocina a fuego mediano, tapado, hasta ablandar los espárragos y la papa, unos 15 minutos. Entretanto, en una olla se ponen las puntas de espárragos con la taza de agua y la 1/2 cucharadita de sal. Se lleva a un hervor y se cocinan unos 10 minutos.

4. Se pasa todo, menos las puntas, al envase de una trituradora y se tritura bien. Se cuela en una olla a través de un colador fino de alambre, apretando los sólidos contra las paredes del colador.

5. Se agregan las puntas enteras de los espárragos y la leche. Se lleva a un hervor y, a fuego suave, se cocina 1 ó 2 minutos.

6. Se puede servir caliente o fría. En este último caso, se pone la olla en agua con hielo hasta estar helada.

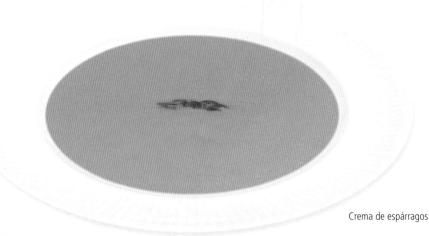

Crema de espárragos

menú (14)

Vegetales a la parrilla

Valor Nutricional Ración

Ración:	(150 g)

Cantidad por ración:

Kcal	72
Proteínas	2 g
Grasa	4 g
Carbohidratos	7 g

Intercambios aproximados:

Lista 2=1 1/4
Lista 6=3/4

(7 raciones)
Cantidad obtenida: **(1.065 g)**

Ingredientes

- 2 tomates manzanos grandes, unos 500 gramos.
- 2 cebollas grandes, unos 400 gramos.
- 2 pimentones verdes, unos 480 gramos.
- 2 cucharadas de aceite de oliva.
- 3 dientes de ajo machacados.
- 1 cucharadita de sal.
- 1/8 de cucharadita de pimienta.
- 1/2 cucharada de salsa inglesa Worcesterhire.

Preparación

1. Se lavan los tomates, se pelan, se cortan en rebanadas de 1 centímetro de espesor, se les sacan las semillas y se pasan las rebanadas a un envase.

2. Se pelan las cebollas y se cortan en rebanadas de 1/2 centímetro de espesor. Se agregan al envase.

3. Se lavan los pimentones, se les sacan las semillas y se cortan en tiras de 2 1/2 centímetros de ancho. Se agregan al envase.

4. Se sazonan los vegetales con la mezcla del aceite, los ajos machacados, la sal, la pimienta y la salsa inglesa. Se revuelven bien pero con cuidado.

5. Se coloca una plancha de hierro acanalada, un budare o una sartén al fuego, para que se caliente. Luego, se van poniendo los vegetales poco a poco hasta que doren, unos 4 minutos por lado y así hasta terminar con todos. Se revuelven y se sirven.

Vegetales a la parrilla

Punta trasera al horno

Valor Nutricional Ración

Ración:	(100 g)

Cantidad por ración:

Kcal	274
Proteínas	21,5 g
Grasa	20 g
Carbohidratos	2 g

Intercambios aproximados:

Lista 5=3
Lista 6=1 ●●●○

(10 a 12 raciones)
Cantidad obtenida: **1 punta (1.500 g)**

Ingredientes

- Una punta trasera de 1 1/2 kilo, sin grasa.

para adobarla:

- 1 taza de cebolla rallada, unos 200 gramos.
- 2 dientes de ajo machacados.
- 3 cucharadas de aceite de oliva.
- 1 cucharada de salsa inglesa Worcestershire.
- 2 1/2 cucharaditas de sal.
- 1/4 de cucharadita de pimienta molida.
- 1/16 de cucharadita de comino molido.

Preparación

1. Se pesa la punta. Se prepara un adobo mezclando todos los ingredientes para adobarla y con esa mezcla se frota bien la carne. Todo se deja aparte en un envase por 1/2 hora.

2. Se precalienta el horno a 400° F.

3. Se pone la punta sobre una rejilla en una bandeja y se baña la carne con el adobo. Se mete la bandeja en el horno y se hornea por 25 minutos por kilo, en este caso, unos 37 a 38 minutos en total, teniendo cuidado de darle vueltas cuando se vea dorada, bañándola con el adobo por encima. Para comprobar el estado de cocción, se pincha con una aguja y al sacarla debe salir un líquido rojizo para obtener la carne a punto, medio-roja, es decir, roja pero no cruda.

4. Se saca la bandeja del horno, se pone aparte la punta a reposar. Se elimina el exceso de grasa de la bandeja en la que se horneó la punta y se pone esa bandeja al fuego. Se agrega la 1/2 taza de consomé y el líquido que pueda haber soltado la carne y raspando el fondo con una cuchara de madera, se cocina por unos 3 minutos. Se retira del fuego y se pasa la salsa a través de un colador fino, apretando los sólidos contra las paredes del colador. Se vuelve la salsa a una sartén o a una olla pequeña, se lleva a un hervor y se mantiene caliente hasta que se sirva la punta, cortada en rebanadas de 1 a 1 1/2 centímetro de espesor.

Nota: en la foto se acompaña con una cucharadita de guasacaca.

Punta trasera al horno

menú 14

Vainitas o tirabeques sudados

Valor Nutricional Ración	
Ración:	1/2 taza (60 g)
Cantidad por ración:	
Kcal	73
Proteínas	2 g
Grasa	5 g
Carbohidratos	5 g
Intercambios aproximados:	
Lista 2=1	
Lista 6=1	

(6 raciones)
Cantidad obtenida: **3 tazas (380 g)**

Ingredientes

- 340 gramos de vainitas o tirabeques.
- 6 tazas de agua y 3 cucharaditas de sal para cocinarlos.
- 2 cucharadas de aceite de oliva.
- 3 cucharadas de cebolla picadita.
- 1/8 de cucharadita de pimienta blanca, molida.

Preparación

1. Se lavan las vainitas o los tirabeques. Se les quitan las puntas y las venas. Se cortan en juliana fina.

2. En una olla se ponen el agua y la sal. Se lleva a un hervor. Se agregan las vainitas o los tirabeques. Se lleva nuevamente a un hervor y destapados se cocinan a fuego fuerte hasta ablandar, unos 40 a 60 segundos. Se escurren e inmediatamente se vierten en un envase con agua helada para que no pierdan su color brillante.

3. En una sartén se pone el aceite a calentar. Se agregan la cebolla y la pimienta y se cocinan hasta marchitar, unos 2 minutos.

4. Se agregan las vainitas o los tirabeques y a fuego mediano se cocinan 1 1/2 minuto.

Vainitas o tirabeques sudados

Gelatina de fresas con salsa de fresas

Valor Nutricional Ración		
Ración:	1/3 de taza (80 g)	
Cantidad por ración:		
Kcal		45
Proteínas		2 g
Grasa		1 g
Carbohidratos		7 g
Intercambios aproximados:		
Lista 1=1/4		
Lista 3=1/2		
Lista 6=1/4		

(6 raciones)
Cantidad obtenida: **2 tazas (480 g)**

Ingredientes

para la gelatina:

- 2 yogures naturales descremados y endulzados con edulcorante, unos 300 gramos.
- 1 taza de fresas picaditas, unos 250 gramos.
- 15 gramos, unas 3 láminas de gelatina sin sabor.

para la salsa de fresas:

- 1/2 taza de fresas bien maduras.
- 1/2 cucharada de azúcar.

Preparación

de la gelatina:

1. Se licúa el yogur con media taza de fresas.
2. Se hidrata la gelatina sin sabor.
3. Se coloca la otra media taza de fresas en una olla pequeña y se cocina hasta que suelte todo su jugo, se le agrega la gelatina sin sabor previamente hidratada, se retira del fuego, se deja enfriar.
4. Se le agrega y revuelve a la mezcla del yogur, se vierte en envases individuales y se lleva al refrigerador hasta tomar consistencia.

de la salsa de fresas:

5. En una olla pequeña al fuego se colocan las fresas con el azúcar y se cocinan hasta que suelten todo su jugo. Se licúa y se cuela. Se refrigera y se sirve acompañando la gelatina.

Gelatina de fresas con salsa de fresas

menú 15

Tomate relleno con queso ricotta
Puré de papas con aceite
Pollo horneado
Ratatouille
Pera

Valor Nutricional Menú	
Raciones:	
Tomate relleno con queso ricotta	**1 tomate relleno (375 g)**
Puré de papas con aceite	1/3 de taza (90 g)
Pollo horneado	(100 g)
Ratatouille	1 taza (200 g)
Pera	1/2 pera (90-100 g)
Kcal	**528,5**
Proteínas	**30,5 g**
Grasa	**38,5 g**
Carbohidratos	**40 g**

Pollo horneado
Puré de papas con aceite
Ratatouille

Tomate relleno con queso ricotta

Pera

Tomates rellenos con queso ricotta

(6 raciones)
Cantidad obtenida: **6 tomates**

Valor Nutricional Ración	
Ración: **1 tomate relleno (375 g)**	
Cantidad por ración:	
Kcal	28
Proteínas	7 g
Grasa	10 g
Carbohidratos	2,5 g
Intercambios aproximados:	
Lista 2=1/2	
Lista 5=2	

Ingredientes

- 6 tomates grandes, tipo manzano, maduros pero firmes, unos 1.500 gramos.
- 1 1/2 taza de queso ricotta, unos 375 gramos.
- 6 cucharadas de queso amarillo, tipo gouda, rallado, 36 gramos, 1/3 de taza.
- 1/2 cucharadita de sal.
- 1 1/2 cucharadita de perejil picadito.

Preparación

1. Se precalienta el horno a 350° F.
2. Se lavan y se secan los tomates. Se les corta una tapita en la parte superior y se ponen aparte. Se les eliminan las semillas y parte de la pulpa central. Se ponen aparte boca abajo en un colador para escurrirlos por 15 a 30 minutos.
3. Se mezclan bien los quesos, la sal y el perejil y se rellenan los tomates hasta llenarlos completamente y un poco apretados para conservar la forma de los tomates. Se les coloca encima la tapita respectiva.
4. Se colocan los tomates en un molde de vidrio, cuidando que no se volteen. Se mete el envase en el horno, se hornean por 1 hora. Se sacan del horno, se voltean sobre un plato, se pelan y con una espátula se sirven, preferiblemente, boca abajo.

Tomate relleno con queso ricotta

Puré de papas con aceite

Valor Nutricional Ración

Ración:	1/3 de taza (90 g)

Cantidad por ración:	
Kcal	113
Proteínas	2 g
Grasa	5 g
Carbohidratos	15 g

Intercambios aproximados:

Lista 4=1
Lista 6=1

(6 raciones)
Cantidad obtenida: **2 tazas (530 g)**

Ingredientes

- 1/2 kilo de papas peladas y en pedazos.
- 8 tazas de agua.
- 3 cucharaditas de sal.
- 2 cucharadas de aceite de oliva.
- 1/2 cucharadita de sal.
- 1/8 a 1/4 de cucharadita de pimienta.

Preparación

1. Se pelan, se cortan en pedazos y se lavan las papas.
2. En una olla se ponen con el agua que las cubra, unas 8 tazas, y las 3 cucharaditas de sal. Se lleva a un hervor y se cocinan a fuego fuerte tapadas hasta ablandar.
3. Se escurren y todavía calientes se baten en batidora eléctrica. Se le agregan el aceite, la sal y la pimienta y se continúa batiendo 1 ó 2 minutos más.

Puré de papas con aceite

Pollo horneado
Servir 100 gramos de carne de pollo.

Valor Nutricional Ración

Ración:	(100 g)
Cantidad por ración:	
Kcal	229
Proteínas	21 g
Grasa	15 g
Carbohidratos	2,5 g
Intercambios aproximados:	
Lista 5=3	●●●

(6 raciones)
Cantidad obtenida: **1 pollo (1.400 g)**

Ingredientes

- 1 pollo de 1 1/2 a 2 kilos.
- 1 limón.
- 1/2 taza de la parte blanca de 1 ajoporro cortado en rueditas, unos 70 gramos.
- 1/2 taza de cebolla rallada, unos 100 gramos.
- 1/2 taza de cebolla cortada en ruedas delgadas, unos 100 gramos.
- 1/2 pimentón rojo en tiritas, unos 90 gramos.
- 2 dientes de ajo machacados.
- 1 cucharada de salsa inglesa Worcestershire.
- 1/2 cucharadita de pimienta.
- 2 cucharaditas de sal.
- 1 hoja de laurel.

Preparación

1. Se precalienta el horno a 400° F.
2. Se limpia muy bien el pollo, se lava, se frota con limón por dentro y por fuera. Se enjuaga.
3. Se prepara un adobo mezclando muy bien el ajoporro, la cebolla rallada, la cebolla en ruedas, el pimentón, el ajo, la salsa inglesa, la pimienta, la sal y el laurel. Se frota el pollo por dentro y por fuera con ese adobo, introduciéndole los sólidos en la cavidad y se deja en una bandeja de vidrio para hornear por 1 hora o más.
4. Se mete la bandeja en el horno, cubierta con papel de aluminio y se hornea por 35 minutos o hasta ablandar, dándole vuelta y bañándolo con frecuencia. Se le quita el papel para que dore un poco, se le da vuelta de vez en cuando bañándolo con su salsa cada vez y se hornea por 55 ó 60 minutos más. Se apaga el horno y se deja el pollo en la bandeja dentro del horno hasta el momento de servir.

Pollo horneado

Ratatouille

(7 raciones)
Cantidad obtenida: **7 tazas (1.450 g)**

Valor Nutricional Ración	
Ración:	**1 taza (200 g)**
Cantidad por ración:	
Kcal	98,5
Proteínas	0,5 g
Grasa	8,5 g
Carbohidratos	5 g
Intercambios aproximados:	
Lista 2=1	
Lista 6=1 1/2	

Ingredientes

- 2 cucharadas de aceite de oliva.
- 1 cebolla grande, unos 200 gramos, picada gruesa.
- 2 dientes de ajo, machacados.
- 1 pimentón grande, unos 280 gramos, picado grueso.
- 1/2 kilo de tomates, tipo italiano, "perita", picados gruesos, sin piel y sin semillas, unas 3 tazas.
- 1 cucharadita de sal.
- 1/4 de cucharadita de pimienta.
- Las hojitas de 2 ramitas de tomillo o 1/2 cucharadita si es seco, molido.
- 1 cucharada de albahaca, picadita.
- 1 cucharada de perejil, picadito.
- 2 cucharadas adicionales de aceite de oliva para freír la berenjena y el calabacín.
- 2 berenjenas medianas, unos 400 gramos, peladas y picadas gruesas, unas 4 tazas.
- 2 calabacines medianos, unos 260 gramos, pelados, sin semillas y picados gruesos, unas 2 tazas.

Preparación

1. En una sartén grande se ponen las 2 cucharadas de aceite a calentar. Se agregan la cebolla y el ajo y se cocinan a fuego mediano, unos 4 minutos. Se agrega el pimentón y se cocina unos 3 minutos. Se agregan el tomate, la sal, la pimienta, el tomillo, la albahaca y el perejil.

2. En otra sartén se pone el resto del aceite a calentar, se agregan la berenjena y el calabacín y se cocinan, unos 4 minutos. Se escurren y se ponen aparte.

3. Se agregan la berenjena y el calabacín a la sartén con el tomate, se cocina por 15 minutos a fuego suave y se retira del fuego, para servir.

Ratatouille

menú 15

Pera

Valor Nutricional Ración	
Ración:	1/2 pera (90-100 g)
Cantidad por ración:	
Kcal	60
Proteínas	-
Grasa	-
Carbohidratos	15
Intercambios aproximados:	
Lista 3=1	●

Pera

menú (16)

Hervido picado de carne de res
Vegetales salteados
Ensalada de cebollitas con tomates secos
Mousse de mandarina

Valor Nutricional Menú	
Raciones:	
Hervido picado de carne de res	**1 taza (240 g)**
Vegetales salteados	**1 taza (200 g)**
Ensalada de cebollitas con tomates secos	**4-5 cebollitas (80 g)**
Mousse de mandarina	**1/3 de taza (85 g)**
Kcal	**537,5**
Proteínas	**28 g**
Grasa	**31,5 g**
Carbohidratos	**35,5 g**

Hervido picado de carne de res

Vegetales salteados
Ensalada de cebollitas con tomates secos

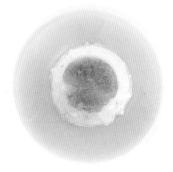

Mousse de mandarina

Hervido picado de carne de res

Servir 80 a 90 gramos de carne en trocitos y completar 1 taza de sopa con el resto.

(13 raciones)
Cantidad obtenida: **13 tazas (3.155 g)**

Ingredientes

- 10 tazas de agua.
- 1 kilo de pecho de res.
- 200 gramos de lagarto con hueso de res.
- La parte blanca y algo de lo verde de 1 ajoporro grande, unos 95 gramos, 1 1/2 taza.
- 1 cebolla mediana, unos 130 gramos, 1 1/4 taza.
- 4 granos de pimienta negra.
- 2 ramas de celerí, de las cuales las hojas se utilizarán para hacer el caldo y las costillas picaditas, para agregar a la sopa con las verduras, unos 125 gramos, 1 taza.
- 1 1/2 cucharada de sal.
- 1 taza de papas, unos 140 gramos.
- 1 taza de batata, unos 150 gramos.
- Todo en trocitos pequeños y medidos después de picados.
- 1 taza, unos 100 gramos de calabacín pelado y sin semillas, cortado en plumitas.
- 2 1/2 tazas de repollo picadito, unos 170 gramos.
- 1/2 cucharadita de pimienta.
- 3 ramitas de cilantro.
- 1 ramita de hierbabuena.

para el sofrito:

- 2 cucharadas de aceite de oliva.
- 1/2 taza de cebolla rallada, unos 100 gramos.
- 4 dientes de ajo.
- 1/2 pimentón entre rojo y verde, rallado, sin venas y sin semillas, unos 90 gramos, 2/3 de taza.
- 1 taza de tomate rallado, sin piel y sin semillas, unos 130 gramos.
- 1/2 taza del caldo de la olla obtenido.

Ingredientes

Preparación

1. En una olla grande se ponen el agua, las carnes limpias, el ajoporro, la cebolla, los granos de pimienta, el celerí y la sal.

2. Se pone a fuego medio, se lleva a un hervor y se cocina por 1 3/4 hora, quitándole al hervir la espuma que se forma en la superficie.

3. Se saca la carne de la olla. Se deja enfriar. Se le elimina la grasa y se corta en pedazos de 2 a 3 centímetros por lado aproximadamente. Entretanto, se cuela el caldo a través de un colador, se eliminan el ajoporro, la cebolla, los granos de pimienta y el celerí. Se pone aparte 1/2 taza de este caldo para el sofrito.

4. Entretanto, se prepara un sofrito poniendo el aceite a calentar en un caldero pequeño. Se agregan la cebolla y el ajo, se fríen hasta marchitar, unos 4 minutos. Se agregan el pimentón y el tomate. Se cocina 10 minutos. Se le agrega 1/2 taza del caldo, se baja el fuego, se cocina 10 minutos más y se deja aparte para agregar mas tarde a la olla.

5. Se lava la olla si es necesario. Se vuelven el caldo y la carne a la olla y se agregan todas las verduras y la pimienta. Se lleva a un hervor. Se agrega el sofrito colado a través de un colador de alambre un poco sumergido en el caldo y apretando los sólidos con cuchara de madera contra las paredes del colador para sacar todo su jugo. Se cocina 1 hora aproximadamente o hasta que el caldo espese un poco.

6. Unos 2 ó 3 minutos antes de retirarlo del fuego se le agregan el cilantro y la hierbabuena.

7. Se apaga el fuego y se deja reposar unos 10 minutos, eliminándole el cilantro y la hierbabuena antes de servir.

Hervido picado de carne de res

Vegetales salteados

Valor Nutricional Ración

Ración:	1 taza (200 g)
Cantidad por ración:	
Kcal	85
Proteínas	2 g
Grasa	5 g
Carbohidratos	8 g
Intercambios aproximados:	

Lista 2=1
Lista 6=1

(6 raciones)
Cantidad obtenida: **6 tazas (1.220 g)**

Ingredientes

- 1 1/2 pimentón, verde-rojo, cortado en trozos medianos, sin venas y sin semillas, 2 1/2 tazas, unos 280 gramos.
- 2 cebollas medianas, cortadas en trozos, 3 tazas, unos 300 gramos.
- Lo blanco de 2 ajoporros, cortado en rodajas delgadas, 3 tazas, unos 200 gramos.
- 2 dientes de ajo, machacados.
- 2 calabacines grandes, pelados, sin semillas, cortados a lo largo en cuatro y luego transversalmente, en pedazos pequeños, 3 tazas, unos 325 gramos.
- 2 cucharadas de aceite de oliva.
- 2 cucharadas de salsa inglesa Worcestershire.
- 1 cucharadita de salsa de ostras.
- 1/16 de cucharadita de pimienta.
- 2 tazas de tomate, cortado en trozos, sin piel y sin semillas, unos 310 gramos.

Preparación

1. Se limpian y se cortan los vegetales.
2. En una olla se pone el aceite a calentar. Se agregan el pimentón, la cebolla, el ajoporro, el ajo y el calabacín y se cocinan hasta marchitar, unos 3 minutos.
3. Se agregan la salsa inglesa, la salsa de ostras y la pimienta, y se cocina unos 3 minutos más.
4. Se agrega el tomate y se cocina unos 2 minutos. Se retira del fuego.

Vegetales salteados

Ensalada de cebollitas con tomates secos

Valor Nutricional Ración

Ración:	4-5 cebollitas (80 g)
Cantidad por ración:	
Kcal	87
Proteínas	2 g
Grasa	5 g
Carbohidratos	8,5 g
Intercambios aproximados:	
Lista 2=1	
Lista 6=1	

(6 raciones)
Cantidad obtenida: **3 tazas (485 g)**

Ingredientes

para las cebollitas:

- 500 gramos de cebollitas del tamaño de una nuez o menos, sin pelar, unos 450 gramos, ya peladas.
- 4 tazas de agua.
- 1 cucharadita de sal para cocinarlas.
- 5 tomates secos, unos 30 a 40 gramos, conservados en aceite de oliva, cortados en trocitos pequeños.
- 1 cucharada de perejil picadito.

para la vinagreta:

- 2 cucharadas de aceite de oliva.
- 1 cucharada de vinagre.
- 4 cucharadas de agua.
- 1/2 cucharada de mostaza.
- 1 1/2 cucharadita de sal.
- 1/8 de cucharadita de pimienta.
- 1 1/2 de cucharaditas de azúcar.

Preparación

de las cebollitas:

1. Se pelan y se lavan las cebollitas, se ponen en una olla con las 4 tazas de agua y 1 cucharadita de sal, se llevan a un hervor y se cocinan por 10 minutos o hasta que al introducirles una aguja ésta entre suavemente. Se retiran del fuego, se escurren y se ponen aparte.

2. En un envase de vidrio se mezclan las cebollitas y los tomates secos, se les mezcla el perejil y la vinagreta, se revuelve y se sirve.

de la vinagreta:

3. En una licuadora, se baten los ingredientes de la vinagreta hasta emulsionarlos. Se pone aparte.

Ensalada de cebollitas con tomates secos

Mousse de mandarina

Valor Nutricional Ración

Ración:	1/3 de taza (85 g)
Cantidad por ración:	
Kcal	44,5
Proteínas	1 g
Grasa	0,5 g
Carbohidratos	9 g
Intercambios aproximados:	
Lista 3=1/2	

(7 raciones)
Cantidad obtenida: **2 1/3 de tazas (585 g)**

Ingredientes

- 1 1/2 taza de jugo de mandarina.
- 1 cucharadita de ralladura de la piel de la mandarina.
- 1 yogur natural descremado, firme y endulzado con edulcorante, unos 150 gramos.
- 1 cucharada de edulcorante.
- 15 gramos de gelatina sin sabor, 3 láminas.
- 1 taza de gajos de mandarina, sin la piel.

Preparación

1. Se mezclan el jugo de mandarina, la ralladura, el yogur y el edulcorante. Se hidrata la gelatina y luego se calienta en baño de María para disolverla y mezclarla con el yogur y la mandarina.

2. Se vierte 1/3 de taza en moldes individuales y se lleva a la nevera para endurecer. Se sirve con los gajos de mandarina.

Mousse de mandarina

Espaguetis con ajo y aceite
Medallón de lomito
Hongos salteados
Ensalada de pepinos con tomates cherry
Gelatina de cerezas

Valor Nutricional Menú		
Raciones:		
Espaguetis con ajo y aceite	**1/2 taza**	**(60 g)**
Medallón de lomito		**(100 g)**
Hongos salteados	**3/4 de taza**	**(155 g)**
Ensalada de pepinos con tomates cherry	**3/4 de taza**	**(95 g)**
Gelatina de cerezas	**1/3 de taza**	**(80 g)**
Kcal		**595,5**
Proteínas		**34,5 g**
Grasa		**33,5 g**
Carbohidratos		**39 g**

Medallón de lomito
Hongos salteados

Espaguetis con ajo y aceite

Ensalada de pepinos con tomates cherry

Gelatina de cerezas

Espaguetis con ajo y aceite

(6 raciones)
Cantidad obtenida: **3 tazas (360 g)**

Ingredientes

- 10 tazas de agua y 3 cucharaditas de sal para cocinar la pasta.
- 150 gramos (25 gramos por persona) de pasta, preferiblemente "spaguettini" o similar.
- 1 taza de agua fría.
- 2 cucharadas de aceite de oliva.
- 6 dientes de ajo cortados en dos.
- 2 cucharaditas de pimentón rojo, seco, molido.
- 1/4 de cucharadita de pimienta negra.

Preparación

1. En una olla se pone a hervir suficiente cantidad de agua, unas 10 tazas con las 3 cucharaditas de sal. Se lleva a un hervor y se agrega la pasta, revolviéndola y levantándola suavemente varias veces al comienzo con un tenedor de cocina, para evitar que se pegue.

2. Se lleva nuevamente a un hervor y se cocina hasta estar "al dente" unos 5 minutos (o según las instrucciones del fabricante).

3. Cuando está lista se agrega a la olla 1 taza de agua fría, se escurre y se vuelve a la olla seca, la cual se coloca sobre la hornilla a fuego suavísimo.

4. Por otra parte, en una sartén se calienta el aceite y en ella se fríen los dientes de ajo hasta que estén bien dorados. Se eliminan los ajos.

5. Se retira la sartén del fuego, se deja enfriar ligeramente, unos 20 segundos. Se agrega el pimentón molido y revolviendo rápidamente, se vierte de inmediato sobre la pasta y se revuelve bien. Esta operación se hace muy rápidamente para evitar que se queme el pimentón. Se agrega la pimienta, se revuelve y se sirve.

Espaguetis con ajo y aceite

Medallón de lomito

Valor Nutricional Ración	
Ración:	(100 g)
Cantidad por ración:	
Kcal	269
Proteínas	24 g
Grasa	17 g
Carbohidratos	5 g
Intercambios aproximados:	
Lista 5=3	
Lista 6=1/4	

(8 raciones)
Cantidad obtenida: **8 medallones (850 g)**

Ingredientes

- 8 medallones de lomito de res amarrados lateralmente para conservar su forma cilíndrica, alrededor de 1 kilo.
- 1/2 taza de cebolla, rallada.
- 2 dientes de ajo, machacados.
- 1/8 de cucharadita de pimienta, molida.
- 1 1/2 cucharadita de sal.
- 1 cucharadita de salsa inglesa Worcestershire.
- 1 cucharada de aceite de oliva.
- 1 cebolla pequeña.
- 1 diente de ajo.
- 1/2 taza de consomé desgrasado de carne.

Preparación

1. Se limpian y se preparan los medallones amarrándolos lateralmente para conservar la forma cilíndrica o se piden así a la carnicería.

2. En un envase se prepara un adobo mezclando la cebolla rallada, el ajo machacado, la pimienta, la sal y la salsa inglesa. Se agregan los medallones, se frotan con el adobo y se dejan aparte en el envase por unos 15 minutos.

3. En un caldero se pone el aceite a calentar. Se agregan los medallones, a los que se les ha eliminado el adobo, que se deja aparte y, sin puyarlos, se fríen dándoles vuelta hasta dorarlos, unos 5 minutos. Se sacan y se ponen aparte los medallones.

4. Se agregan al caldero el adobo que se tiene aparte, la cebolla y el ajo restantes, y se cocina unos 2 minutos. Se agregan nuevamente los medallones al caldero y se cocinan unos 2 minutos. Se agrega el consomé, se lleva a un hervor, se pone a fuego mediano y se cocina unos 10 minutos más.

5. Se sacan los medallones del caldero, se les elimina la cuerda que los amarra, se les agrega la salsa y se sirven de inmediato.

Medallones de lomito

Hongos salteados

Valor Nutricional Ración	
Ración:	3/4 de taza (155 g)
Cantidad por ración:	
Kcal	133,5
Proteínas	6,5 g
Grasa	7,5 g
Carbohidratos	10 g
Intercambios aproximados:	
Lista 2=2	
Lista 6=1 1/2	

(2 raciones)
Cantidad obtenida: **2 tazas (420 g)**

Ingredientes

- 800 gramos de hongos (champiñones) frescos.
- 1 cucharada de aceite de oliva.
- 1 taza de cebolla picadita, unos 200 gramos.
- 4 dientes de ajo machacados.
- 4 cucharadas de cebollín picadito.
- 1 cucharada de jugo de limón.
- 1/2 cucharadita de pimienta negra.
- 2 1/2 cucharaditas de sal.
- 2 cucharadas de vino blanco seco.
- 3 cucharadas de perejil picadito.

Preparación

1. Se corta el extremo inferior del tallo de los hongos. Se limpian muy bien. Se cortan verticalmente en tajadas delgadas. Los tallos que se desprenden se cortan en rueditas delgadas. Se ponen aparte.

2. En una olla o sartén se ponen el aceite, la cebolla, el ajo y el cebollín y se fríen hasta marchitar, unos 5 minutos.

3. Se agregan los hongos el jugo de limón, la pimienta y la sal. Se lleva a un hervor y se cocina hasta que se evapore el agua que producen los hongos, unos 15 a 17 minutos. Se agrega el vino blanco y se cocina hasta casi evaporarse.

4. Se agrega el perejil, se cocina por 2 minutos más y se sirve.

Hongos salteados

Ensalada de pepinos con tomates cherry

Valor Nutricional Ración	
Ración:	3/4 de taza (95 g)
Cantidad por ración:	
Kcal	80
Proteínas	2 g
Grasa	4 g
Carbohidratos	9 g
Intercambios aproximados:	
Lista 2=1	
Lista 6=3/4	

(8 raciones)
Cantidad obtenida: **8 tazas (1.030 g)**

Ingredientes

para la ensalada:

• 1 kilo de pepinos.

• 350 gramos de tomates cherry, unos 18 a 20 tomaticos.

para la vinagreta:

• 2 cucharadas de aceite de oliva.

• 1 cucharada de vinagre.

• 4 cucharadas de agua.

• 1/2 cucharada de mostaza.

• 1 1/2 cucharadita de sal.

• 1/8 de cucharadita de pimienta.

• 2 cucharadas de cebolla rallada finamente.

• 1 ramita de eneldo o 1/2 cucharadita, picadito (opcional).

• 1 1/2 cucharadita de azúcar.

Preparación

de la ensalada:

1. Se lavan, se pelan y se cortan los pepinos en ruedas muy delgadas. Se ponen aparte.

2. Se lavan los tomates cherry y se cortan por la mitad. Se ponen en un envase aparte con el pepino.

de la vinagreta:

3. En una licuadora, se baten los ingredientes de la vinagreta hasta emulsionarlos, menos la cebolla rallada y el eneldo y todo se revuelve con los demás ingredientes de la ensalada.

4. Se pone en la nevera por 1/2 hora y antes de servirla se revuelve bien.

Ensalada de pepinos con tomates cherry

Gelatina de cerezas

Valor Nutricional Ración	
Ración:	1/3 de taza (80 g)
Cantidad por ración:	
Kcal	-
Proteínas	-
Grasa	-
Carbohidratos	-
Intercambios aproximados:	
Libre	

(5 raciones)
Cantidad obtenida: **1 3/4 de tazas (500 g)**

Ingredientes

- 1 taza de agua caliente.
- 1 sobre de gelatina sin azúcar, de dieta, sabor a cerezas, unos 10 gramos.
- 3/4 de taza de agua fría.

Preparación

1. En una olla pequeña se lleva a un hervor 1 taza de agua. Se le agrega y se mezcla el contenido del sobre de gelatina de cerezas. Se revuelve hasta disolver y se le agrega 1/2 taza de agua fría. Se revuelve.

2. En un molde de vidrio poco profundo de unos 22 x 11 x 6 o moldecitos individuales, se vierte la preparación y se lleva al refrigerador hasta que endurezca.

Gelatina de cerezas

menú  18

Crema de apio
Puré de papas con tomate
Albondigón (pan de carne) al horno
Repollitos de Bruselas salteados
Kiwi

Valor Nutricional Menú	
Raciones:	
Crema de apio	**1/2 taza (130 g)**
Puré de papas con tomate	**1/4 de taza (60 g)**
Albondigón (pan de carne) al horno	**(100 g)**
Repollitos de Bruselas salteados	**1/2 taza (88 g)**
Kiwi	**(100 g)**
Kcal	**627**
Proteínas	**30,5 g**
Grasa	**29 g**
Carbohidratos	**61 g**

Crema de apio

Kiwi

Albondigón (pan de carne) al horno
Puré de papas con tomate
Repollitos de Bruselas salteados

Crema de apio

Valor Nutricional Ración	
Ración:	1/2 taza (130 g)
Cantidad por ración:	
Kcal	87,5
Proteínas	2,5 g
Grasa	1,5 g
Carbohidratos	16 g
Intercambios aproximados:	
Lista 4=1 Lista 6=1/4	

(13 raciones)
Cantidad obtenida: **10 1/2 tazas (1.754 g)**

Ingredientes

- 8 tazas de agua o de consomé desgrasado de pollo o de carne.
- La parte blanca de 1 ajoporro cortado longitudinalmente en dos, unos 115 gramos.
- 2 cebollas cortadas en dos, unos 300 gramos.
- 1 kilo de apio ya pelado y lavado.
- 2 1/2 cucharaditas de sal.
- 1/4 de cucharadita de pimienta blanca, molida.
- 2 cucharadas de aceite de oliva.
- 2 ramitas de cilantro.
- 1 ramita de hierbabuena.

Preparación

1. En una olla se ponen el agua o consomé, el ajoporro y la cebolla. Se lleva a un hervor y se cocina unos 5 minutos. Se agrega el apio y se continúa hirviendo a fuego fuerte tapado hasta que el apio ablande.

2. Se saca el apio de la olla, se cuela el caldo. Se desechan el ajoporro y la cebolla.

3. El apio y el caldo se ponen en el vaso de una trituradora y se trituran hasta tener consistencia de crema.

4. Se pasa a una olla, se le agregan la sal y la pimienta, se lleva a un hervor, se le revuelve el aceite de oliva. Se agregan el cilantro y la hierbabuena, que se eliminan antes de servir.

5. Se apaga el fuego y se sirve.

Crema de apio

menú 18

Puré de papas con tomate

Valor Nutricional Ración	
Ración:	1/4 de taza (60 g)
Cantidad por ración:	
Kcal	**92**
Proteínas	**3 g**
Grasa	**-**
Carbohidratos	**20 g**
Intercambios aproximados:	
Lista 2=1 Lista 4=1	●●

(6 raciones)
Cantidad obtenida: **3 tazas (680 g)**

Ingredientes

- 1 kilo de papas peladas y en pedazos.
- 6 tazas de agua y 2 cucharaditas de sal.
- 1/2 taza de consomé desgrasado de pollo o de carne.
- 1 taza de cebolla rallada.
- 1 diente de ajo machacado.
- 1 taza de tomate rallado, sin piel y sin semillas.
- 1/4 de cucharadita de pimienta blanca.
- 1/2 cucharadita de sal.

Preparación

1. En una olla tapada se ponen a cocinar las papas en agua con sal que las cubra, y se cocinan hasta ablandar.

2. Entretanto, se prepara una salsa de tomate en un caldero pequeño donde se pone el consomé. Se agregan la cebolla, el ajo, el tomate, la pimienta y la sal y se cocina unos 15 minutos, revolviendo, hasta que espese un poco.

3. Se escurren bien las papas, se pasan por una batidora y se baten bien.

4. En una sartén se pone la salsa de tomate, se agrega el puré y se cocina a fuego fuerte revolviéndolo muy bien con cuchara de madera o batidor eléctrico, unos 5 a 6 minutos, hasta que seque y vuelva a tomar la consistencia de puré.

Puré de papas con tomate

Albondigón (pan de carne), al horno

Valor Nutricional Ración

Ración:	(100 g)
Cantidad por ración:	
Kcal	319,5
Proteínas	23 g
Grasa	23,5 g
Carbohidratos	4 g
Intercambios aproximados:	

Lista 5=3 ● ● ● ●
Lista 6=1

(7 raciones)
Cantidad obtenida: **1 pan de carne (725 g)**

Ingredientes

- 2 cucharadas de aceite de oliva.
- 1 taza de cebolla picadita.
- 6 dientes de ajo machacados.
- 1/2 kilo de carne de cochino con poca grasa, molida finamente.
- 1/2 kilo de pulpa negra de res, molida finamente.
- 2 cucharadas de perejil picadito.
- 1/2 cucharadita de pimienta.
- 1 cucharada de salsa inglesa Worcestershire.
- 2 1/2 cucharaditas de sal.
- 2 claras de huevo.
- 2 cucharaditas de encurtidos en mostaza, picaditos.
- 3 cucharadas de pan seco, molido.

para la salsa, opcional:

- 3 cucharadas aceite de oliva.
- 3/4 de taza de cebolla rallada.
- 1 diente de ajo machacado.
- 1/2 pimentón rojo rallado, sin venas y sin semillas.
- 1 taza de tomate rallado, sin piel y sin semillas.
- 1 cucharadita de sal.
- 1/2 cucharadita de pimienta negra, molida.
- 2 a 3 cucharaditas de salsa de tomate ketchup.
- 1 taza de consomé desgrasado de carne.

Preparación

1. Se precalienta el horno a 400° F.

2. En una olla o sartén se ponen 2 de las cucharadas de aceite a calentar. Se agregan la cebolla picadita y el ajo machacado y se fríen hasta marchitar, unos 4 a 5 minutos.

3. Se vierte el contenido de la olla en un envase y allí se le agregan las carnes molidas, el perejil, la pimienta, la salsa inglesa, la sal, las claras de huevo, los encurtidos y las 3 cucharadas de pan molido. Se mezcla muy bien y se pone en un molde para hornear de 28 x 10 x 7 centímetros aproximadamente. Se aprieta bien y se alisa la superficie con una espátula. Se mete el molde en el horno y se hornea por 1 1/4 hora o hasta que esté bien cocido, es decir, hasta que al introducirle una aguja salga poco líquido y éste sea incoloro y transparente.

4. Se saca el molde del horno. Se saca el albondigón del molde y se corta. Puede servirse caliente o frío, siempre con la salsa caliente.

para la salsa, opcional:

5. En una olla o caldero pequeño se pone el aceite a calentar. Se agregan la cebolla y el ajo. Se cocinan hasta marchitar, unos 4 minutos. Se agregan el pimentón, el tomate, la sal, la pimienta y la salsa ketchup. Se lleva a un hervor y se cocina hasta espesar, unos 7 minutos. Se agrega el consomé y se cocina unos 7 a 10 minutos más hasta espesar un poco. Si se quiere, se puede colar apretando los sólidos con cuchara de madera contra las paredes del colador.

Albondigón (pan de carne) al horno

Repollitos de Bruselas salteados

Valor Nutricional Ración

Ración:	1/2 taza (88 g)

Cantidad por ración:	
Kcal	68
Proteínas	2 g
Grasa	4 g
Carbohidratos	6 g

Intercambios aproximados:

Lista 2=1
Lista 6=3/4

(4 raciones)
Cantidad obtenida: **4 tazas (630 g)**

Ingredientes

- 1/2 kilo de repollitos de Bruselas.
- 4 tazas de agua y 1 cucharadita de sal para cocinarlos.
- 1 cucharadas de aceite de oliva.
- 1/2 taza de cebolla, picadita.
- 2 dientes de ajo, machacados
- 1/2 cucharadita de sal.
- 1/8 de cucharadita de pimienta, molida.

Preparación

1. Se les eliminan las hojas exteriores y maltratadas a los repollitos. Se enjuagan. Se escurren.

2. En una olla se ponen los repollitos con el agua y la sal para cocinarlos. Se lleva a un hervor y se cocinan por unos 10 minutos. Se cuelan y se escurren.

3. En una sartén o en una olla se pone el aceite, se agregan la cebolla y el ajo y se cocinan hasta marchitar, unos 4 minutos. Se agregan los repollitos, la sal y la pimienta, se cocinan tapados y a fuego mediano por unos 10 minutos más y se retiran del fuego.

Repollitos de Bruselas salteados

Kiwi

Valor Nutricional Ración	
Ración:	(100 g)
Cantidad por ración:	
Kcal	60
Proteínas	-
Grasa	-
Carbohidratos	15 g
Intercambios aproximados:	
Lista 3=1	

Kiwi

menú (19)

Valor Nutricional Menú

Raciones:

Sopa de caraotas blancas	1/2 de taza	(160 g)
Pescado sudado con vegetales		(240 g)
Alcachofas hervidas	2 fondos	(60 g)
Ensalada de pepino y celerí	1 taza	(200 g)
Gajos de naranja y grapefruit	1 taza	(140 g)

Kcal	531
Proteínas	31 g
Grasa	21 g
Carbohidratos	54,5 g

Sopa de caraotas blancas
Pescado sudado con vegetales
Alcachofas hervidas
Ensalada de pepino y celerí
Gajos de naranja y grapefruit

Pescado sudado con vegetales
Alcachofas hervidas

Sopa de caraotas blancas

Ensalada de pepino y celerí

Gajos de naranja y grapefruit

Sopa de caraotas blancas

Servir 1/4 de taza de granos y completar 1/2 taza con el caldo.

Valor Nutricional Ración	
Ración:	1/2 taza (160 g)
Cantidad por ración:	
Kcal	86
Proteínas	2 g
Grasa	2 g
Carbohidratos	15 g
Intercambios aproximados:	
Lista 4=1 Lista 6=1/2	

(16 raciones)
Cantidad obtenida: **12 1/2 tazas (3.110 g)**

Ingredientes

- 1/2 kilo de caraotas blancas.
- 20 tazas de agua.
- 1 taza de agua.
- 1/4 kilo de costillitas de cochino con muy poca grasa, cortadas en trocitos de unos 2 centímetros de largo.
- 1 limón.
- 1/4 de taza de agua.
- 1/2 taza de la parte blanca de celerí, picadito.
- 3 1/4 de cucharaditas de sal.
- 1/2 cucharadita de pimienta.

para el sofrito:

- 2 cucharadas de aceite de oliva.
- 1 taza de cebolla rallada.
- 3 dientes de ajo machacados.
- 1 taza de tomate rallado, sin piel y sin semillas.
- 1/4 de taza de pimentón rojo rallado.

Preparación

1. Se escogen y se limpian de impurezas las caraotas. Se lavan.

2. Se ponen las caraotas en una olla con agua fría que las cubra unos 10 centímetros, alrededor de 20 tazas.

3. Se lleva a un hervor, se tapa la olla y se cocinan tapadas 1/2 hora. Se le agrega 1 taza de agua helada para que se sumerjan las caraotas que todavía flotan. Se lleva nuevamente a un hervor y se cocina por 1/2 hora más.

4. Entretanto, se limpian y se les quita el exceso de grasa a las costillitas. Se frotan con limón. Se enjuagan. Se ponen en un caldero pequeño con 1/4 de taza de agua. Se lleva a un hervor y se cocinan a fuego fuerte revolviendo hasta secar y comenzar a dorar, unos 10 a 15 minutos. Se pasan las costillitas, sin la grasa que sueltan, a la olla. Se lleva a un hervor, se pone a fuego mediano y se cocina por 1 hora. Se agrega el celerí, se lleva a un hervor y se cocina por 30 minutos más.

5. Entretanto, en un caldero se pone a calentar el aceite para el sofrito, se agregan la cebolla y el ajo y se fríen hasta marchitar, unos 5 minutos. Se agregan el tomate y el pimentón. Se cocina por 10 a 12 minutos.

6. Se agrega el sofrito a la olla, colándolo a través de un colador un poco sumergido en el caldo y apretando los sólidos con una cuchara de madera contra las paredes del colador.

7. Se agregan la sal y la pimienta y se cocina a fuego mediano hasta espesar un poco, unos 30 ó 40 minutos más.

Sopa de caraotas blancas

Pescado sudado con vegetales

Servir 100 gramos de pescado + 140 gramos de vegetales.

(10 raciones)
Cantidad obtenida: **(2.400 g)**

Valor Nutricional Ración	
Ración:	(240 g)
Cantidad por ración:	
Kcal	220
Proteínas	25 g
Grasa	10 g
Carbohidratos	7,5 g
Intercambios aproximados:	

Lista 2=1
Lista 5=3 ●●●●

Ingredientes

- 1 1/2 kilo de pescado sin cabeza, pargo o mero preferiblemente, o uno entero de 2 kilos.
- 1 limón.
- 1 cucharada de aceite de oliva.
- 1 cucharadita de sal.
- 1 cucharadita de pimienta.
- El jugo de 1/2 limón.
- La parte blanca y algo de lo verde de 1 ajoporro, 40 gramos.
- 2 cebollas medianas cortadas en juliana gruesa, 290 gramos.
- 4 dientes de ajo enteros.
- 2 ramitas de perejil.
- 1 pimentón rojo en juliana gruesa, 270 gramos.
- 2 calabacines grandes, pelados, sin semillas, cortados a lo largo en cuatro y luego en juliana gruesa, 270 gramos.
- 2 chayotas cortadas en juliana gruesa, 410 gramos.
- 2 tallos de celerí cortados en juliana gruesa, 110 gramos.
- 1 hoja de laurel.
- 1 taza de agua.

Preparación

1. Se limpia y se lava muy bien el pescado, se frota con limón por dentro y por fuera. Se le hace un corte longitudinal por cada lado en la parte más gruesa del pescado.

2. En un envase de vidrio para hornear se pone el pescado por 1/2 hora, en una marinada que se prepara mezclando el aceite, la sal, la pimienta y el jugo de limón. Se frota bien con la marinada y se introduce algo de ésta en los cortes previamente hechos. Se le agregan el ajoporro, la cebolla, el ajo, el perejil, el pimentón, el calabacín, la chayota, el celerí, el laurel y el agua.

3. Se precalienta el horno a 400° F.

4. Se cubre el envase con papel de aluminio y se mete en el horno. Se hornea hasta que el pescado esté blando pero firme, aproximadamente 20 minutos por kilo dependiendo de su grosor.

5. Se saca el envase del horno. Se pasa el pescado a una bandeja acompañado de los vegetales. Se cuela la salsa que queda, apretando los sólidos con una cuchara de madera contra las paredes de un colador y se sirve con el pescado.

Pescado sudado con vegetales

menú 19

Alcachofas hervidas

Valor Nutricional Ración	
Ración:	2 fondos (60 g)
Cantidad por ración:	
Kcal	64
Proteínas	2 g
Grasa	4 g
Carbohidratos	5 g
Intercambios aproximados:	
Lista 2=1	
Lista 6=3/4	

(4 raciones)
Cantidad obtenida: **8 fondos de alcachofa (240 g)**

Ingredientes

- 8 alcachofas.
- 12 tazas de agua y 3 cucharaditas de sal para cocinarlas.
- 1 cucharadas de aceite de oliva.
- 1/2 cucharadita de sal.
- 1/2 cucharadita de pimienta blanca.

Preparación

1. Se lavan muy bien las alcachofas sacudiéndolas bajo agua corriente. Se les corta el tallo, a ras del fondo. Se les quitan y se ponen aparte las hojas, para usarlas aparte y se eliminan los pelos que tienen interiormente, con la ayuda de una cuchara o cuchillo. Con un cuchillo se alisa la parte inferior de los fondos y se van pasando a una olla con agua y vinagre o con agua y jugo de limón, para que no se ennegrezcan. Para cocinarlos se elimina esa agua, se enjuagan y se ponen en una olla al fuego con el agua y la sal indicadas en los ingredientes, y para eso se cocinan 40 a 45 minutos o hasta que se les pueda introducir una aguja fácilmente. Se escurren bien.

2. Se mezclan muy bien con un tenedor o un batidor de alambre, el aceite, la sal y la pimienta, que no llegan a disolverse para acompañar los fondos.

Alcachofas hervidas

Ensalada de pepino y celerí

Valor Nutricional Ración	
Ración:	1 taza (200 g)
Cantidad por ración:	
Kcal	89
Proteínas	2 g
Grasa	5 g
Carbohidratos	9 g
Intercambios aproximados:	
Lista 2=1	
Lista 6=1	⬤⬤

(4 raciones)
Cantidad obtenida: **4 tazas (800 g)**

Ingredientes

para la ensalada:

- 2 pepinos grandes, unos 300 gramos cada uno, cortados a lo largo y transversalmente en tajaditas, sin semillas.
- 3 tallos de celerí, unos 125 gramos cortados en tajaditas.

para la vinagreta:

- 2 cucharadas de aceite de oliva.
- 1 cucharadas de vinagre.
- 4 cucharadas de agua.
- 1/2 cucharada de mostaza.
- 1 1/2 cucharadita de sal.
- 1/8 de cucharadita de pimienta blanca, molida.
- 1 1/2 cucharadita de azúcar.

Preparación

de la ensalada:

1. Se lavan, se pelan y se cortan verticalmente los pepinos. Se les elimina las semillas, con la ayuda de una cuchara y se cortan transversalmente en rebanaditas de no más de 1/2 centímetro de espesor. Se ponen aparte.

2. Se lavan y se le quitan las hojas al celerí y los tallos se cortan en tajaditas de unos 2 a 3 centímetros de largo.

de la vinagreta:

3. En una licuadora, se baten los ingredientes de la vinagreta hasta emulsionarlos. Se pone aparte.

4. En un envase se mezclan, el pepino y el celerí y se les revuelve la vinagreta. Se mantiene en la nevera hasta el momento de servir.

Ensalada de pepino y celerí

Gajos de naranja y grapefruit

Valor Nutricional Ración	
Ración:	1 taza (140 g)
Cantidad por ración:	
Kcal	72
Proteínas	-
Grasa	-
Carbohidratos	18 g
Intercambios aproximados:	
Lista 3=1	⬤

Gajos de naranja y grapefruit

menú 20

Chop suey de camarones
Risotto con espárragos
Rollitos de repollo rellenos con ricotta
Ensalada de escarola con pera
Manzana horneada

Valor Nutricional Menú	
Raciones:	
Chop suey de camarones	**1 taza (200 g)**
Risotto con espárragos	**1/2 taza (130 g)**
Rollitos de repollo rellenos con ricotta	**2 rollitos (90 g)**
Ensalada de escarola con pera	**3/4 de taza (70 g)**
Manzana horneada	**una unidad pequeña (90 g)**
Kcal	**497**
Proteínas	**16,5 g**
Grasa	**23 g**
Carbohidratos	**56 g**

Chop suey de camarones

Risotto con espárragos
Rollitos de repollo rellenos con ricotta

Manzana horneada

Ensalada de escarola con pera

Chop suey de camarones

Servir 40 g de camarones, unas 6-7 unidades y completar hasta 1 taza, con vegetales.

(6 raciones)
Cantidad obtenida: **9 1/2 tazas (1.200 g)**

Valor Nutricional Ración	
Ración:	**1 taza (200 g)**
Cantidad por ración:	
Kcal	116
Proteínas	10,5 g
Grasa	6 g
Carbohidratos	5 g
Intercambios aproximados:	

Lista 2=1
Lista 5=1 1/2
Lista 6=1

Ingredientes

- 1 kilo de camarones, con concha, unos 570 gramos ya pelados y limpios.
- 1 limón.
- 2 cucharadas de vino Jerez o blanco seco mezclado con 1 cucharada de salsa de soya.
- 2 cucharadas de aceite de oliva.
- 1/2 de taza, 50 gramos, de zanahoria.
- 1 pimentón verde-rojo, grande, sin venas y sin semillas, cortado en juliana gruesa, unas 2 tazas.
- 3 tazas de cebolla, cortada en octavos.
- Lo blanco de un ajoporro cortado en rueditas, 1 taza.
- 1 taza de celerí, cortado en trozos pequeños.
- 2 tazas de calabacín, pelado, sin semillas, todo cortado en juliana gruesa.
- Lo blanco de 2 cebollines, picaditos, 1/2 taza.
- 2 dientes de ajo, machacados.
- 1/2 cucharada de vino Jerez o blanco seco adicional.
- 1 cucharada de salsa de soya adicional.
- 1 cucharadita de salsa de ostras (opcional).
- 1/4 de cucharadita de pimienta, molida.
- 1/2 kilo, 2 tazas, de tomate cortado en octavos.
- 1/2 taza de consomé desgrasado de pescado, de pollo o de carne.
- 1/2 cucharadita de maicena disuelta en 2 cucharadas de agua.

Preparación

1. Se pelan los camarones. Se les elimina el intestino o tripita negra que tienen por encima a lo largo del dorso. Se lavan. Se enjuagan en agua con limón. Se enjuagan en agua corriente. Se ponen en un envase a macerar en la mezcla del Jerez con la salsa de soya.

2. Se pelan y se cortan los vegetales.

3. En una olla se pone el aceite a calentar. Se agregan los camarones o langostinos sin el adobo, que se deja aparte. Se cocinan unos 7 minutos, hasta que se seque el agua que desprenden.

4. Se agregan la zanahoria, el pimentón, la cebolla, el ajoporro, el celerí, el calabacín, el cebollín y el ajo y se cocina unos 4 minutos.

5. Se agregan la mezcla del Jerez, la salsa de soya restante, la salsa de ostras y la pimienta, y se cocina revolviendo unos 2 minutos más.

6. Se agregan los tomates y el consomé, se cocina unos 2 minutos.

7. Se agrega la maicena disuelta en las 2 cucharadas de agua, se cocina 1 minuto y se retira del fuego.

Chop suey de camarones

Risotto con espárragos

Valor Nutricional Ración	
Ración:	1/2 taza (130 g)
Cantidad por ración:	
Kcal	123
Proteínas	2 g
Grasa	5 g
Carbohidratos	17,5 g
Intercambios aproximados:	
Lista 2=1/2	
Lista 4=1	
Lista 6=1	

(13 raciones)
Cantidad obtenida: **6 1/2 tazas (1.560 g)**

Ingredientes

- 1/2 kilo de espárragos frescos.
- 6 tazas de consomé desgrasado de carne, de las cuales se usarán sólo 5 tazas para la preparación del risotto propiamente.
- 2 cucharadas de aceite de oliva.
- 1/2 taza de cebolla, picadita.
- 1/2 a 1 cucharadita de sal.
- 1/8 de cucharadita de pimienta.
- 1 taza de arroz arborio o similar.
- 1/2 taza de vino blanco, seco.
- 2 hojas de salvia o 1/8 de cucharadita, si es seca molida.
- 2 cucharadas de aceite de oliva.
- 1/2 cucharada de queso parmesano rallado, por ración.

Preparación

1. Se cortan las puntas de los espárragos (la parte que tiene escamas). Se ponen aparte. Se cortan y se eliminan los extremos inferiores y duros de los espárragos. El resto se pela finamente y se corta en pedazos de unos 2 centímetros de largo.

2. En una olla al fuego se ponen esos pedazos de espárragos con el consomé. Se lleva a un hervor y, a fuego lento, se cocina por 20 minutos para que el consomé adquiera el sabor del espárrago. Se escurren y se ponen aparte. Se mantiene el consomé, del que se utilizarán sólo 5 tazas, a fuego muy suave.

3. En otra olla se ponen el aceite, la cebolla, la sal y la pimienta y se cocina hasta marchitar, unos 3 a 4 minutos.

4. Se agrega el arroz y, revolviendo, se cocina hasta que esté brillante y cubierto por la grasa, 1 minuto.

5. Se agrega el vino y se cocina hasta que se consuma casi completamente, unos 2 minutos.

6. Se agrega gradualmente el consomé a punto de hervor, 1/2 taza cada vez. Se cocina revolviendo constantemente y raspando el fondo y orillas de la olla hasta que se consuma cada porción para agregar la siguiente. Cuando se hayan agregado y consumido 2 tazas (4 raciones) del consomé, se agregan los pedazos de espárragos, no las puntas, que se agregarán después de haber agregado y consumido 3 tazas (6 raciones) del consomé. La salvia se agregará con la última media taza de consomé. Se comprueba el punto de sal y de pimienta.

7. Se cocina hasta que el arroz se sienta cocido, pero firme, en total unos 25 minutos contados desde que se agrega el arroz a la olla. Se apaga el fuego, se le revuelve el resto del aceite y luego se agrega 1/2 cucharada de queso parmesano por ración, al momento de servir. Debe presentar un aspecto cremoso, los granos separados entre sí, pero unidos por una crema.

Risotto con espárragos

Rollitos de repollo rellenos con ricotta

Valor Nutricional Ración	
Ración:	**2 rollitos (90 g)**
Cantidad por ración:	
Kcal	91
Proteínas	2 g
Grasa	7 g
Carbohidratos	5 g
Intercambios aproximados:	
Lista 2=1	
Lista 6=1 1/2	

(6 raciones, 12 rollitos)
Cantidad obtenida: **12 rollitos (550 g)**

Ingredientes

- 1 repollo.
- Agua para cocinar las hojas.
- 4 cucharaditas de sal.
- 1 cucharada de aceite de oliva.
- 1/4 de taza de cebolla picadita.
- 1 ajo machacado.
- 1 1/3 de taza de queso ricotta.
- 2 cucharadas de queso parmesano rallado.
- 1/3 de taza de leche descremada.
- 1 cucharada de perejil picadito.
- 1/2 cucharadita de sal.
- 1/4 de cucharadita de pimienta.
- 1/2 cucharada de aceite de oliva.
- 1/2 taza de consomé desgrasado de carne.
- 1 cucharada de queso parmesano para gratinar.

Preparación

1. En una sartén se ponen al fuego el aceite, la cebolla y el ajo machacado y se cocinan hasta marchitar, unos 4 a 5 minutos.
2. Se le eliminan las hojas exteriores al repollo y se escogen 12 hojas de las mejores. Se rebaja el exceso de grosor por la parte posterior al nervio central. Se ponen en una olla con agua que las cubra y la sal. Se lleva a un hervor y se cocinan tapadas hasta ablandar, unos 15 a 20 minutos. Se escurren y se separan las hojas. Se les quita la parte gruesa de los nervios, que puedan tener, de manera que no molesten al enrollarlas. Se pone aparte a enfriar.
3. En un envase se mezclan lo que se tiene en la sartén, los quesos, la leche, el perejil, la sal y la pimienta
4. Sobre una superficie lisa se ponen las hojas y se van rellenando con 1 ó 2 cucharadas de la mezcla. Se enrollan, tapando los extremos y se ponen aparte.
5. Se precalienta el horno a 400° F.
6. Se colocan los rollitos en un molde refractario previamente engrasado con 1/2 cucharada de aceite. Se bañan con la 1/2 taza de consomé. Encima se le pone el queso parmesano. Se cubre con papel de aluminio y se mete en el horno. Se hornea por 25 minutos, se destapa y se hornea 5 minutos más para gratinar.

Rollitos de repollo rellenos con ricotta

Ensalada de escarola con pera

Valor Nutricional Ración	
Ración:	3/4 de taza (70 g)
Cantidad por ración:	
Kcal	97
Proteínas	2 g
Grasa	5 g
Carbohidratos	11 g
Intercambios aproximados:	
Lista 2=1 Lista 3=1/4 Lista 6=1	●◖ ◖

(4 raciones)

Cantidad obtenida: **3 tazas (290 g)**

Ingredientes

para la ensalada:

- 1 escarola, unos 250 a 300 gramos, después de escogidas las hojas.
- 1/2 pera madura pero firme.

para la vinagreta:

- 2 cucharadas de aceite de oliva.
- 1 cucharada de vinagre.
- 4 cucharadas de agua.
- 1/2 cucharada de mostaza.
- 1 1/2 cucharadita de sal.
- 1/8 de cucharadita de pimienta.
- 1 1/2 cucharadita de azúcar.

Preparación

de la ensalada:

1. Se lava muy bien la escarola. Se escogen las hojas utilizando sólo las más blancas y tiernas. Se cortan las más largas en dos. Se ponen en un envase.

2. Se lava la pera, se pela y se pica verticalmente en dos, se le elimina la parte dura del centro y las semillas y se cortan en tajadas de 1/2 centímetro de espesor. Se agregan al envase.

de la vinagreta:

3. En una licuadora, se baten los ingredientes de la vinagreta hasta emulsionarlos, se revuelve con la escarola y se sirve.

Ensalada de escarola con pera

Manzana horneada

(6 raciones)
Cantidad obtenida: **6 manzanas (600 g)**

Valor Nutricional Ración	
Ración: **1 unidad pequeña (90 g)**	
Cantidad por ración:	
Kcal	**70**
Proteínas	**-**
Grasa	**-**
Carbohidratos	**17,5**
Intercambios aproximados:	
Lista 3=1	●

Ingredientes

- 6 manzanas tipo gala.

Preparación

1. Se precalienta el horno a 400º F.
2. A las manzanas sin pelar, se les quita el corazón con un saca-bocado.
3. Se ponen las manzanas en un molde de vidrio refractario.
4. Se mete el molde en el horno y se hornean por 40 minutos. Se sirven inmediatamente.

Manzana tipo gala horneada

menú  21

Pasta con salsa de tomate (napolitana)
Pollo sudado con vegetales
Ensalada de vainitas
Uvas

Valor Nutricional Menú	
Raciones:	
Pasta con salsa de tomate (napolitana)	1/2 taza (100 g)
Pollo sudado con vegetales	(210 g)
Ensalada de vainitas	1/2 taza (70 g)
Uvas	15 unidades pequeñas o 7 grandes, 100 g
Kcal	**542**
Proteínas	**27 g**
Grasa	**26 g**
Carbohidratos	**50 g**

Pasta con salsa de tomate (napolitana)

Pollo sudado con vegetales

Uvas

Ensalada de vainitas

Pasta con salsa de tomate (napolitana)

Servir 60 gramos de pasta escurrida y agregarle salsa para completar 100 gramos.

(12 raciones)
Cantidad obtenida: **6 tazas (1.180 g)**

Valor Nutricional Ración	
Ración:	1/2 taza (100 g)
Cantidad por ración:	
Kcal	106
Proteínas	3 g
Grasa	2 g
Carbohidratos	19 g
Intercambios aproximados:	
Lista 2=1	
Lista 4=1	
Lista 6=1/4	

Ingredientes

para 2 tazas de salsa:

- 1 cucharada de aceite de oliva.
- 1 cebolla mediana picadita, alrededor de 1/2 taza.
- 2 dientes de ajo, machacados.
- 1/2 kilo, 2 tazas, de tomates, picaditos sin piel y sin semillas.
- 1 cucharada de pasta de tomate.
- 2 cucharaditas de sal.
- 1/16 de cucharadita de pimienta, molida.
- 1 taza de consomé desgrasado de pollo o de carne.

para la pasta:

- 10 tazas de agua y 3 cucharaditas de sal para cocinar la pasta.
- 250 gramos de "spaguettini" u otra pasta fina.
- 1/2 cucharada de queso parmesano rallado, por ración.

Preparación

de la salsa:

1. En una olla se pone el aceite a calentar. Se agregan la cebolla y el ajo y se cocinan hasta marchitar, unos 4 minutos. Se agregan el tomate, la pasta de tomate, la sal, la pimienta y se cocina hasta marchitar, unos 5 minutos. Se agrega el consomé, se lleva a un hervor, se pone a fuego mediano y se cocina hasta espesar, unos 10 minutos. Se pone aparte.

de la pasta:

2. En una olla se ponen el agua con la sal para cocinar la pasta. Se lleva a un hervor. Se agrega la pasta. Se lleva nuevamente a un hervor y se cocina siguiendo las indicaciones del fabricante o hasta estar "al dente". Se retira la olla del fuego. Se cuela la pasta y se vuelve a la olla. Se le revuelve la salsa caliente y luego se agrega 1/2 cucharada de queso parmesano por ración, al momento de servir.

Pasta con salsa de tomate
(napolitana)

Pollo sudado con vegetales

**Servir 100 gramos de carne de pollo +
3/4 de taza (110 gramos) de vegetales = 210 gramos.**

(8 raciones)
Cantidad obtenida: **(1.700 g)**

Valor Nutricional Ración	
Ración:	(210 g)
Cantidad por ración:	
Kcal	291
Proteínas	23 g
Grasa	19 g
Carbohidratos	7 g
Intercambios aproximados:	
Lista 2=1	
Lista 5=3	
Lista 6=1/2	

Ingredientes

- 1 pollo de 1 1/2 kilo.
- 1 limón.
- 1 cucharada de aceite de oliva.
- 1 1/2 cucharadita de sal
- 1/2 cucharadita de pimienta, molida.
- 1/2 taza de jugo de cebolla.
- 1 1/2 cucharadita de salsa inglesa Worcestershire.
- 1 diente de ajo machacado.
- 2 cucharaditas de vinagre.
- 2 cucharadas de aceite de oliva adicional.
- 2 1/2 tazas de cebolla en ruedas delgadas.
- 5 granos de pimienta negra.
- 1 ramita de perejil.
- 1/4 de taza de consomé desgrasado de pollo o de carne.
- 1 zanahoria pequeña, pelada y cortada en juliana, unos 100 gramos.
- 2 calabacines, pelados y sin semillas, unos 400 gramos.
- 1 pimentón, sin piel y sin semillas unos 400 gramos.
- 1 diente de ajo entero pelado.

Preparación

1. Se limpia el pollo quitándole el exceso de grasa. Se lava muy bien. Se frota con limón por dentro y por fuera y se lava nuevamente con agua corriente. Se seca con papel absorbente.

2. Se prepara un adobo con el aceite, la sal, la pimienta, el jugo de la cebolla, la salsa inglesa, el ajo y el vinagre y se frota el pollo interior y exteriormente con el adobo. Se coloca todo en una bandeja y se deja adobando por 1 hora, dándole vuelta de vez en cuando.

3. En un caldero se pone a calentar una de las cucharadas de aceite restante, se agrega al adobo: la cebolla en ruedas, los granos de pimienta y el perejil y se sofríe hasta que la cebolla esté bien dorada, unos 9 minutos.

4. Se eliminan el perejil y los granos de pimienta; la cebolla se pone aparte.

5. En el mismo caldero se coloca el pollo y se fríe dándole vueltas hasta que esté bien dorado por todas partes, unos 9 minutos.

6. Una vez dorado el pollo se elimina la grasa, se lava y se seca el caldero, se agrega la cucharada de aceite restante y se agrega de nuevo la cebolla que se sacó previamente del caldero, el adobo del pollo, el consomé y el pollo, la zanahoria, el calabacín, el pimentón y el ajo. Se tapa, se pone a fuego mediano y se cocina por 50 a 60 minutos. Se retira del fuego, se deja enfriar un poco, se divide el pollo en presas.

7. Se cuela la salsa y se calienta sí es necesario. La salsa se le agrega nuevamente al pollo en presas con los vegetales para servirlo.

Pollo sudado con vegetales

Ensalada de vainitas

Valor Nutricional Ración	
Ración:	1/2 taza (70 g)
Cantidad por ración:	
Kcal	85
Proteínas	1 g
Grasa	5 g
Carbohidratos	9 g
Intercambios aproximados:	
Lista 2=1 Lista 6=1	●●

(8 raciones)
Cantidad obtenida: **4 tazas (600 g)**

Ingredientes

para la ensalada:

- 700 gramos de vainitas tiernas.
- 5 tazas de agua para cocinarlas
- 3 cucharaditas de sal.
- 1 cebolla mediana, unos 130 gramos.

para la vinagreta:

- 2 cucharadas de aceite de oliva.
- 1 cucharada de vinagre.
- 4 cucharadas de agua.
- 1/2 cucharadita de mostaza.
- 1 1/2 cucharadita de sal.
- 1/8 de cucharadita de pimienta.
- 1 1/2 cucharadita de azúcar.

Preparación

de la ensalada:

1. Se lavan y se le quitan las puntas a las vainitas, se les quitan las hebras laterales si las tienen y se cortan en pedazos de 2 a 3 centímetros. En una olla se ponen las 5 tazas de agua con la sal. Se lleva a un hervor y se agregan las vainitas. Se lleva nuevamente a un hervor y se cocinan destapadas de 10 a 12 minutos o hasta que las vainitas estén blandas pero aún firmes.

2. Se baja la olla del fuego, se escurren las vainitas y se ponen en agua helada, para detener la cocción, se escurren nuevamente y se ponen aparte.

3. Se cortan las cebollas en forma de plumitas y se ponen aparte.

de la vinagreta:

4. En una licuadora, se baten los ingredientes de la vinagreta hasta emulsionarlos. Se pone aparte.

5. Se mezclan las vainitas y la cebolla y por último se le mezcla y revuelve la vinagreta, se lleva a la nevera por 2 horas y se sirve.

Ensalada de vainitas

menú 21

Uvas

Uvas

menú

Crema de tomate con curry
Plátano horneado
Camarones en vinagreta
Tortilla de espinacas
Ensalada de celerí
Melón

Valor Nutricional Menú	
Raciones:	
Crema de tomate con curry	1/2 taza (120 g)
Plátano horneado	(50 g)
Camarones en vinagreta	2/3 de taza (150 g)
Tortilla de espinacas	1/4 de tortilla (80 g)
Ensalada de celerí	1 taza (125 g)
Melón	1 taza (300 g)
Kcal	**534**
Proteínas	25 g
Grasa	26 g
Carbohidratos	50 g

Camarones en vinagreta
Plátano horneado
Tortilla de espinacas

Crema de tomate con curry

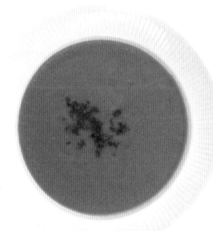

Melón

Ensalada de celerí

Crema de tomate con curry

Valor Nutricional Ración	
Ración:	1/2 taza (120 g)
Cantidad por ración:	
Kcal	55
Proteínas	2 g
Grasa	3 g
Carbohidratos	5 g
Intercambios aproximados:	
Lista 2=1	
Lista 6=1/2	

(9 raciones)
Cantidad obtenida: **4 1/2 tazas (1.080 g)**

Ingredientes

- 2 cucharadas de aceite de oliva.
- 1 taza de cebolla, picadita.
- 1 diente de ajo, machacado.
- 3 cucharadas de cebollín, picadito.
- 1 cucharada de polvo curry.
- 4 1/2 tazas de tomate tipo italiano, "perita", picadito, sin piel y sin semillas.
- 1/4 de cucharadita de tomillo seco, molido.
- 1/8 de cucharadita de pimienta.
- 2 cucharaditas de sal.
- 3 tazas de consomé desgrasado de pollo o de carne.
- 1/4 de taza de leche descremada.

Preparación

1. En una olla gruesa y pesada se pone el aceite a calentar. Se agregan la cebolla, el ajo y el cebollín y se cocinan unos 2 minutos. Se agrega el polvo curry y se cocina unos 2 minutos.

2. Se agregan el tomate, el tomillo, la pimienta y la sal, se cocina unos 5 minutos hasta formar una mezcla espesa. Se agrega el consomé, se lleva a un hervor y se cocina 10 minutos.

3. Se pasa todo al vaso de una trituradora y se tritura bien. Se devuelve el líquido a la olla a través de un colador fino de alambre. Se lleva a un hervor y se cocina por 10 minutos hasta espesar un poco.

4. Cuando se va a servir, se lleva a un hervor, se pone a fuego muy suave, se le revuelve la leche descremada y se cocina por 1 ó 2 minutos, se retira del fuego y se sirve.

Crema de tomate con curry

menú 22

Plátano horneado

Valor Nutricional Ración	
Ración:	(50 g)
Cantidad por ración:	
Kcal	68
Proteínas	2 g
Grasa	-
Carbohidratos	15 g
Intercambios aproximados:	
Lista 4=1	●

Cantidad obtenida: **1 plátano**

Ingredientes

• 1 plátano maduro con la piel ya negra.

Preparación

1. Se precalienta el horno a 400° F.

2. Se le cortan las puntas al plátano y se le hace un corte a todo lo largo de la piel.

3. Se pone con la piel sobre una bandeja de metal para hornear y se mete en el horno. Se hornea por 30 a 35 minutos en total, dándole 2 ó 3 vueltas para que se cocine uniformemente. Se sirve inmediatamente.

Plátano horneado

Camarones en vinagreta

Servir 60 gramos de camarones, unos 10 camarones y completar 2/3 de taza con el resto, unos 150 gramos.

(12 raciones)
Cantidad obtenida: **8 tazas (1.920 g)**

Valor Nutricional Ración	
Ración:	2/3 de taza (150 g)
Cantidad por ración:	
Kcal	155
Proteínas	15 g
Grasa	9 g
Carbohidratos	3,5 g
Intercambios aproximados:	
Lista 2=1/2	
Lista 5=2	
Lista 6=1/2	

Ingredientes

para cocinar los camarones

- 2 kilos de camarones con su concha.
- 12 tazas de agua.
- 2 ramitas de tomillo fresco o 1/2 cucharadita si es seco, molido.
- 2 ramitas de perejil.
- 2 ramas de celerí.
- 2 cebollas pequeñas peladas, cortadas en dos.
- La parte blanca y algo de lo verde de un ajoporro.
- 1 hoja de laurel.
- 15 granos de pimienta negra.
- 2 cucharaditas de sal.

Ingredientes para la vinagreta:

- 2 cucharadas de aceite de oliva.
- 1 cucharada de vinagre.
- 4 cucharadas de agua.
- 2/3 de taza de pimentón rojo picadito, sin venas y sin semillas.
- 1/2 cucharada de ají dulce picadito, sin venas y sin semillas.
- 1 taza de cebolla picadita.
- 1 taza de tomate picadito, sin piel y sin semillas.
- 1 1/4 cucharada de perejil picadito.
- 20 gotas de salsa picante.
- 1/4 cucharadita de pimienta.
- 1 1/2 cucharadita de sal.
- 3 cucharadas de encurtidos en mostaza picaditos.
- 2 dientes de ajo machacados.

Preparación

de los camarones:

1. Se lavan los camarones en agua corriente.

2. En una olla se ponen el agua, unas 12 tazas, el tomillo, el perejil, el celerí, las cebollas, el ajoporro, el laurel, la pimienta y la sal. Se lleva a un hervor y se cocina por 5 minutos.

3. Se agregan los camarones. Se lleva nuevamente a un hervor y se cocinan por 10 a 12 minutos o hasta que estén rojos. Se escurren. Se dejan enfriar. Se pelan y se les quita la tripa negra o intestino que tienen casi superficialmente por encima a todo lo largo. Se enjuagan bajo agua corriente.

4. Se prepara una vinagreta revolviendo muy bien sus ingredientes: el aceite, el vinagre, el agua, el pimentón, el ají dulce, la cebolla, el tomate, el perejil, la salsa picante, la pimienta, la sal, el encurtido y el ajo.

5. Se mezcla con los camarones. Se revuelve bien y se mete en la nevera por lo menos con 1 a 2 horas de anticipación.

6. Unos 15 minutos antes de servir se sacan de la nevera. Se revuelven bien antes de llevarlos a la mesa. Se sirven fríos.

Camarones en vinagreta

Tortilla de espinacas

Valor Nutricional Ración

Ración:	1/4 de tortilla (80 g)

Cantidad por ración:	
Kcal	107
Proteínas	4 g
Grasa	9 g
Carbohidratos	2,5 g

Intercambios aproximados:

Lista 2=1/2
Lista 5=1/4
Lista 6=1 1/2

(4 raciones)
Cantidad obtenida: **1 tortilla (320 g)**

Ingredientes

- 550 gramos de hojas de espinacas, unos 250 gramos, escogidas y ya lavadas.
- 1 cucharada de aceite de oliva.
- 1/2 cebolla picadita, unos 75 gramos.
- 1 cucharada de ciboulette (cebollín fino) picadito.
- 1 1/4 cucharadita de sal.
- 1/16 cucharadita de pimienta.
- 4 claras de huevo.
- 1 cucharada de queso parmesano rallado.
- 1 cucharadas de aceite de oliva adicional.

Preparación

1. Se escogen las hojas de espinaca eliminando las más duras y las marchitas.
2. En una sartén grande se ponen las hojas sin escurrir, se tapa y a fuego medio se cocinan hasta marchitar, destapando y revolviendo de vez en cuando. Se retiran del fuego y se ponen aparte a refrescar.
3. En otra sartén mediana antiadherente se pone una cucharada de aceite a calentar, se agregan la cebolla, el ciboulette, la sal y la pimienta y se cocina hasta marchitar unos cuatro minutos.
4. Aparte se mezclan la espinaca que se tiene aparte, las claras batidas, la cucharada de queso parmesano y el sofrito con la cebolla.
5. Se agrega otra cucharada de aceite a la sartén antiadherente y se agrega la mezcla anterior. Se pone unos 5 minutos hasta dorar por debajo. Con una espátula se despega del fondo de la sartén y se voltea la tortilla para dorar por el otro lado y se cocina unos 5 minutos más.

Tortilla de espinacas

menú (22)

Ensalada de celerí

Valor Nutricional Ración	
Ración:	1 taza (125 g)
Cantidad por ración:	
Kcal	89
Proteínas	2 g
Grasa	5 g
Carbohidratos	9 g
Intercambios aproximados:	
Lista 2=1 Lista 6=1	●●

(4 raciones)
Cantidad obtenida: **4 tazas (500 g)**

Ingredientes

para la ensalada:

- 1/2 kilo, unas 4 tazas, de la parte blanca del celerí, picado en trocitos de 2 a 3 centímetros de largo.

para la vinagreta:

- 2 cucharadas de aceite de oliva.
- 1 diente de ajo.
- 1 cucharada de vinagre.
- 4 cucharadas de agua.
- 1/2 cucharada de mostaza.
- 1 1/2 cucharadita de sal.
- 1/8 de cucharadita de pimienta.
- 1 1/2 cucharadita de azúcar.

Preparación

de la ensalada:

1. Se lavan y se le quitan las hojas al celerí y los tallos se cortan en trocitos de unos 2 centímetros de largo. No se pelan

de la vinagreta:

2. En una licuadora se ponen los ingredientes de la vinagreta y se baten hasta emulsionarlos. Se agrega y revuelve al envase con el celerí, se deja aparte por 1/2 a 1 hora, revolviendo de vez en cuando.

Ensalada de celerí

Melón

Valor Nutricional Ración	
Ración:	1 taza (300 g)
Cantidad por ración:	
Kcal	60
Proteínas	-
Grasa	-
Carbohidratos	15 g
Intercambios aproximados:	
Lista 3=1	

Melón

menú  23

Sopa de garbanzos
Tortilla de acelgas
Chop suey de pollo
Ensalada de endivias y lechuga
Mousse de limón

Valor Nutricional Menú

Raciones:

Sopa de garbanzos	**1 taza (260 g)**
Tortilla de acelgas	**1/4 de tortilla (90 g)**
Chop suey de pollo	**1 1/2 taza (280 g)**
Ensalada de endivias y lechuga	**1 taza (150 g)**
Mousse de limón	**1/3 de taza (80 g)**
Kcal	**653,5**
Proteínas	**34 g**
Grasa	**37,5 g**
Carbohidratos	**45 g**

Sopa de garbanzos

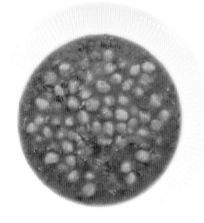

Chop suey de pollo
Tortilla de acelgas

Ensalada de endivias y lechuga

Mousse de limón

Sopa de garbanzos

Servir 1/2 taza de garbanzos y papas escurridas y se completa la taza con caldo (260 g), sin chorizo.

Valor Nutricional Ración	
Ración:	1 taza (260 g)
Cantidad por ración:	
Kcal	119,5
Proteínas	4 g
Grasa	3,5 g
Carbohidratos	18 g
Intercambios aproximados:	
Lista 4=1 Lista 6=1/2	

(10 raciones)
Cantidad obtenida: **10 1/2 tazas (2.670 g)**

Ingredientes

- 1/2 kilo de garbanzos.
- 12 tazas de agua.
- 1 chorizo tipo español, cortado en rueditas de 1 centímetro de espesor, 250 gramos.
- 1 taza de papas en cubitos pequeños, unos 170 gramos.
- 1 a 1 1/2 cucharada de sal.
- 1/4 de cucharadita de pimienta.

para el sofrito:

- 2 cucharadas de aceite de oliva.
- 1 taza de cebolla picadita.
- 5 dientes de ajo machacados.
- 1 taza de tomate picadito, sin piel y sin semillas.
- 1/2 taza de pimentón rojo picadito, sin venas y sin semillas.

Preparación

1. La noche anterior a la preparación se limpian y se lavan los garbanzos. Se ponen en una olla a remojar hasta el día siguiente en suficiente agua que los cubra.

2. Al día siguiente se escurren y se lavan en agua corriente. Se ponen nuevamente en una olla con suficiente agua que los cubra completamente, unas 12 tazas. Se lleva a un hervor y se cocina hasta ablandar un poco, unos 30 minutos.

3. Se agrega el chorizo en rueditas y se cocina 20 minutos más.

4. Entretanto, se prepara un sofrito: Se pone el aceite a calentar en un caldero pequeño, se agregan la cebolla y el ajo y se cocinan hasta marchitar, unos 5 minutos. Se agregan el tomate y el pimentón y se cocinan unos 7 minutos más. Se pone aparte.

5. Se agregan las papas, la sal y la pimienta, se lleva a un hervor y se cocinan 5 minutos. Se agrega el sofrito sin colar y se cocinan alrededor de 60 a 70 minutos o hasta que estén blandos pero enteros y que el caldo espese un poco.

Sopa de garbanzos

Tortilla de acelgas

(4 raciones)
Cantidad obtenida: **1 tortilla (370 g)**

Valor Nutricional Ración	
Ración:	1/4 de tortilla (90 g)

Cantidad por ración:	
Kcal	107
Proteínas	4 g
Grasa	9 g
Carbohidratos	2,5 g

Intercambios aproximados:

Lista 2=1/2
Lista 5=1/4
Lista 6=1 1/2

Ingredientes

- 550 gramos de hojas de acelgas, unos 250 gramos, escogidas y ya lavadas.
- 1 cucharada de aceite de oliva.
- 1/2 cebolla picadita, unos 75 gramos.
- 1 cucharada de ciboulette (cebollín fino) picadito.
- 1 1/4 cucharadita de sal.
- 1/16 de cucharadita de pimienta.
- 4 claras de huevo.
- 1 cucharada de queso parmesano rallado.
- 1 cucharada de aceite de oliva adicional.

Preparación

1. Se escogen las hojas de acelgas eliminando las más duras y las marchitas.

2. En una sartén grande se ponen las hojas sin escurrir, se tapa y a fuego medio se cocinan hasta marchitar, destapando y revolviendo de vez en cuando. Se retiran del fuego y se ponen aparte a refrescar.

3. En otra sartén mediana antiadherente se pone una cucharada de aceite a calentar, se agregan la cebolla, el ciboulttte, la sal y la pimienta y se cocina hasta marchitar unos cuatro minutos.

4. Aparte se mezclan las acelgas que se tienen aparte, las claras batidas, la cucharada de queso parmesano y el sofrito con la cebolla.

5. Se agrega otra cucharada de aceite a la sartén antiadherente y se agrega la mezcla anterior. Se pone unos 5 minutos hasta dorar por debajo. Con una espátula se despega del fondo de la sartén y se voltea la tortilla para dorar por el otro lado y se cocina unos 5 minutos más.

Tortilla de acelgas

Chop suey de pollo

Servir 100 gramos de carne de pollo + vegetales hasta completar 1 1/2 taza.

(7 raciones)
Cantidad obtenida: **10 1/2 tazas (2.000 g)**

Valor Nutricional Ración	
Ración:	1 1/2 taza (280 g)
Cantidad por ración:	
Kcal	295
Proteínas	23 g
Grasa	19 g
Carbohidratos	8 g
Intercambios aproximados:	
Lista 2=1 1/2	
Lista 5=3	
Lista 6=1/2	

Ingredientes

- 3 medias pechugas, sin huesos y sin piel, 3/4 de kilo o 3 tazas en cubos de unos 2 a 3 centímetros por lado.
- 1 limón.
- 2 cucharadas de vino Jerez o blanco seco,
- 1 cucharada de salsa de soya y,
- 1 cucharada de salsa de ostras, para macerar.
- 1 zanahoria mediana, 1 taza.
- 1 pimentón grande, 350 gramos, sin venas y sin semillas, 2 tazas.
- 2 cebollas medianas, 400 gramos, 3 tazas.
- Lo blanco de 2 cebollines medianos, 150 gramos, 2 tazas.
- 2 calabacines pelados, 380 gramos, 2 tazas.
- 4 tallos de celerí, pelados, 1 taza.
Todo picado en trozos medianos.
- 4 dientes de ajo, machacados.
- 2 cucharadas de aceite de oliva.
- 1 cucharada de salsa de soya.
- 1/2 cucharada de salsa de ostras.
- 1/2 cucharada de vino Jerez o blanco seco.
- 1/4 de cucharadita de pimienta.
- 1/2 kilo de tomates tipo italiano, "perita", unos 6, cortados en octavos, 2 tazas.
- 1/2 taza de consomé desgrasado de pollo o de carne.
- 1 cucharada de maicena disuelta en 2 cucharadas de agua.

Preparación

1. Se limpian, se les eliminan la piel y la grasa y se lavan las pechugas. Se frotan con limón, se enjuagan. Se cortan en pedazos pequeños.

2. En un envase se prepara un adobo mezclando el vino Jerez o blanco seco, la cucharada de salsa de soya y la cucharada de salsa de ostras y se adoban los pedazos de pollo dejándolos macerar por 15 a 20 minutos.

3. Se lavan, se pelan y se cortan los vegetales.

4. En una olla pesada, se pone el aceite a calentar, se agregan los pedazos de pollo a los cuales se les elimina el adobo que se deja aparte y se fríen dándoles vuelta por unos 12 minutos, hasta que comiencen a dorar.

5. Se agregan la zanahoria, el pimentón, la cebolla, el cebollín, el calabacín, el celerí y el ajo y se cocinan hasta marchitar, unos 5 minutos.

6. Se agregan, el resto de la salsa de soya, la salsa de ostras y la restante de Jerez o de vino blanco seco, la pimienta y el adobo que se tiene aparte y se cocina por unos 3 minutos.

7. Se agregan el tomate y el consomé y se cocina unos 2 minutos.

8. Se agrega la maicena disuelta en las 2 cucharadas de agua, se cocina por 1 minuto más y se retira del fuego.

Chop suey de pollo

Ensalada de endivias y lechuga

Valor Nutricional Ración	
Ración:	**1 taza (150 g)**
Cantidad por ración:	
Kcal	89
Proteínas	**2 g**
Grasa	**5 g**
Carbohidratos	**9 g**
Intercambios aproximados:	
Lista 2=1	
Lista 6=1	●●

(4 raciones)
Cantidad obtenida: **4 tazas (600 g)**

Ingredientes

para la ensalada:

- 2 endivias.
- 1 lechuga criolla (Boston).
- 2 nueces, 4 mitades (opcional).

para la vinagreta:

- 2 cucharadas de aceite de oliva.
- 1 cucharada de vinagre.
- 4 cucharadas de agua.
- 1/2 cucharada de mostaza.
- 1 1/2 cucharadita de sal.
- 1/8 de cucharadita de pimienta.
- 1 1/2 cucharadita de azúcar.

Preparación

de la ensalada:

1. Se eliminan las hojas marchitas de las endivias y de la lechuga, las restantes se deshojan, se lavan bien y se ponen en un envase

de la vinagreta:

2. En una licuadora, se baten los ingredientes de la vinagreta hasta emulsionarlos. Se pone aparte.

3. Se le revuelve la vinagreta a las endivias. Si se quiere puede agregarse las nueces picaditas.

Ensalada de endivias

Mousse de limón

(6 raciones)
Cantidad obtenida: **2 tazas (500 g)**

Valor Nutricional Ración	
Ración:	1/3 de taza (80 g)
Cantidad por ración:	
Kcal	43
Proteínas	1 g
Grasa	1 g
Carbohidratos	7,5 g
Intercambios aproximados:	
Lista 1=1/4	
Lista 3=1/2	

Ingredientes

- 2 yogures light, descremados y endulzados con edulcorante unos 300 gramos.
- 1/2 taza de jugo de limón.
- 1/2 cucharadita de ralladura de limón.
- 15 gramos de gelatina sin sabor, 3 láminas.
- 3 cucharadas de agua.
- 1 cucharada de azúcar.

Preparación

1. Se mezcla el yogur con el jugo de limón.
2. Se hidrata la gelatina en las 3 cucharadas de agua y se calienta al baño de María hasta disolver. Se agregan el azúcar y la ralladura del limón a la mezcla del yogur.
3. Se vierte la preparación en moldecitos individuales y se refrigera por 1 hora o hasta que endurezca.
4. Se sirve con 1 cucharada de fruta picadita de su preferencia.

Mousse de limón

Sopa de hongos con pepitonas
Arroz blanco
Pollo a la cazadora
Vegetales a la siciliana
Guanábana

Valor Nutricional Menú	
Raciones:	
Sopa de hongos con pepitonas	**3/4 de taza (175 g)**
Arroz blanco	**1/3 de taza (55 g)**
Pollo a la cazadora	**(100 g)**
Vegetales a la siciliana	**1 taza (200 g)**
Guanábana	**1/3 de taza (100 g)**
Kcal	**624,5**
Proteínas	**34 g**
Grasa	**32,5 g**
Carbohidratos	**49 g**

Pollo a la cazadora
Arroz blanco
Vegetales a la siciliana

Sopa de hongos con pepitonas

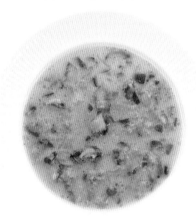

Guanábana

Sopa de hongos con pepitonas

(8 raciones)
Cantidad obtenida: **6 tazas (1.400 g)**

Ingredientes

- 150 gramos de hongos (champiñones), en tajaditas, 1 1/4 taza.
- 2 cucharadas de aceite de oliva.
- 1/2 taza de cebolla, picadita.
- 1/3 de taza de la parte blanca de cebollín, picadito.
- 1/3 de taza de celerí, picadito.
- 2 tazas de consomé desgrasado de pollo o de carne.
- 1 lata de pepitonas en agua y 1 lata de pepitonas picantes.
- 3 tomates, tipo italiano, "perita", picaditos sin piel y sin semillas.
- 1 ramita de tomillo o 1/4 de cucharadita, si es seco, molido.
- 1 cucharadita de sal.
- 1/4 de cucharadita de pimienta blanca.

Preparación

1. Se limpian muy bien los hongos. Se les elimina el extremo duro a los tallos. El resto se corta verticalmente en tajaditas delgadas. Se ponen aparte.

2. En una olla se pone el aceite a calentar. Se agregan la cebolla y el cebollín y se fríen hasta marchitar, unos 4 minutos. Se agrega el celerí y se cocina unos 2 ó 3 minutos.

3. Se agregan el consomé, los hongos, las pepitonas, el tomate, el tomillo, la sal y la pimienta. Se lleva a un hervor, se cocina a fuego mediano, tapado, unos 12 minutos y se retira del fuego.

Sopa de hongos con pepitonas

Arroz blanco

Valor Nutricional Ración	
Ración:	1/3 de taza (55 g)
Cantidad por ración:	
Kcal	90,5
Proteínas	2 g
Grasa	2,5 g
Carbohidratos	15 g
Intercambios aproximados:	
Lista 4=1 Lista 6=1/2	

(6 raciones)
Cantidad obtenida: **2 tazas (330 g)**

Ingredientes

- 1 taza de arroz.
- 1 1/2 taza de agua.
- 1/2 cebolla pequeña cortada en dos, unos 45 gramos.
- 1/4 de pimentón rojo-verde, unos 50 gramos.
- 1 diente de ajo.
- 1 cucharadita de sal.
- 1 cucharada de aceite de oliva.

Preparación

1. Se lava el arroz en un colador de alambre, frotándolo bajo agua corriente hasta que ésta salga transparente. Se escurre. Inmediatamente se pone en una olla pesada y con tapa pesada, con el agua, la cebolla, el pimentón, el ajo, la sal y el aceite. Se revuelve bien.

2. Se enciende el fuego y sin tapar se lleva a un hervor a fuego fuerte. Se cocina hasta que casi evapore el agua, y aparezcan huecos en la superficie, unos 5 a 7 minutos. Se tapa, se pone a fuego muy suave y se cocina sin revolver por 20 a 22 minutos más o hasta que esté blando, seco y con los granos separados.

3. El arroz se revuelve con un tenedor al principio y se revuelve nuevamente cuando está listo y se apaga el fuego, se le eliminan la cebolla, el ajo y el pimentón.

Arroz blanco

Pollo a la cazadora

Servir 100 gramos de carne de pollo sin hueso.

Valor Nutricional Ración

Ración:	(100 g)

Cantidad por ración:	
Kcal	292
Proteínas	23 g
Grasa	20 g
Carbohidratos	5 g

Intercambios aproximados:

Lista 2=1
Lista 5=3
Lista 6=1

(6 raciones)
Cantidad obtenida: **1 pollo (1.400 g)**

Ingredientes

- 1 pollo de 1 1/2 kilo, cortado en presas.
- 1 limón.
- 2 cucharadas de aceite de oliva para freír el pollo.
- 1 cebolla grande, rallada.
- 4 dientes de ajo, machacados.
- 1/4 de taza de vino blanco, seco.
- 2 cucharaditas de sal.
- 1/8 de cucharadita de pimienta, molida.
- 1 hoja de laurel.
- 2 ramitas de tomillo o 1/4 de cucharadita, si es seco, molido.
- 2 ramitas de mejorana o de orégano ó 1/4 de cucharadita, sí son secos, molidos.
- 2 hojitas de salvia.
- 1/2 kilo de tomate, unas 2 tazas, picadito, sin piel y sin semillas.
- 2 cucharadas de pasta de tomate.

Preparación

1. Se limpia el pollo, se le elimina la piel, se frota con limón, se corta en presas, se enjuaga y se seca.

2. En una olla pesada o en un caldero se pone el aceite a calentar, se agregan las presas de pollo y se cocinan hasta dorar, alrededor de unos 30 minutos en total. Se sacan las presas de pollo y se ponen aparte.

3. Se agregan a la olla la cebolla y los ajos y se cocinan 1 minuto.

4. Se agregan nuevamente las presas de pollo a la olla, se agrega el vino, la sal y la pimienta y se cocina hasta que el vino se reduzca a un tercio.

5. Se agregan el laurel, el tomillo, la mejorana y la salvia. Se agregan el tomate y la pasta de tomate. Se lleva a un hervor, se tapa, se pone a fuego mediano y se cocina por unos 30 a 45 minutos, hasta espesar y se retira del fuego.

Pollo a la cazadora

Vegetales a la siciliana

(6 raciones)
Cantidad obtenida: **6 tazas (1.200 g)**

Valor Nutricional Ración	
Ración:	**1 taza (200 g)**
Cantidad por ración:	
Kcal	89
Proteínas	4 g
Grasa	5 g
Carbohidratos	7 g
Intercambios aproximados:	
Lista 2=1 Lista 6=1	

Ingredientes

- 2 cucharadas de aceite de oliva.
- 1 berenjena grande.
- 1/2 taza de consomé desgrasado.
- 1 taza de celerí en trocitos.
- 2 cebollas medianas picaditas.
- 1 pimentón, sin piel y sin semillas, cortado en trozos.
- 8 tomates tipo "perita" picaditos sin piel y sin semillas.
- 1/2 cucharadita de sal.
- 1/8 de cucharadita de pimienta molida.
- 2 cucharada de vinagre de vino.
- 4 cucharadas de alcaparras.
- La pulpa de 10 a 12 aceitunas picaditas.

Preparación

1. En una sartén se pone 1 cucharada del aceite al fuego. Se pela la berenjena, se corta en cubitos de 2 x 2 x 2 cm, se agrega a la sartén y se fríe a fuego fuerte sin dejar de revolver por unos 3 a 4 minutos. Se agrega el consomé y se sigue cocinando la berenjena hasta ablandar. Se saca la berenjena, se pone aparte y se agrega la cucharada restante de aceite a la sartén. Se agrega el celerí y se cocina por 5 minutos. Se agregan la cebolla y el pimentón y se continúa cocinando hasta marchitar unos 4 minutos. Se agregan los tomates, la sal y la pimienta, se tapa y se cocina por 6 minutos más. Se regresa la berenjena a la sartén y se cocina tapada y a fuego suave por 5 minutos.

2. Entretanto, aparte se calienta el vinagre en una ollita y se cocina unos 30 segundos.

3. Se agregan a la sartén, las alcaparras, las aceitunas, y el vinagre y se cocina a fuego suave por 5 minutos. Se retira del fuego.

Vegetales a la siciliana

menú 24

Guanábana

Servir 100g de pulpa sin semillas.

Valor Nutricional Ración	
Ración:	**1/3 de taza (100 g)**
Cantidad por ración:	
Kcal	**60**
Proteínas	**-**
Grasa	**-**
Carbohidratos	**15 g**
Intercambios aproximados:	
Lista 3=1	●

Guanábana

menú 25

Sopa de cebollín con aguacate
Hongos a la provenzal
Rosbif de carne de res con cebolla
Rollitos de plátano rellenos con queso blanco
Gelatina de limón

Valor Nutricional Menú		
Raciones:		
Sopa de cebollín con aguacate	1/2 taza	(106 g)
Hongos a la provenzal	1 taza	(195 g)
Rosbif de carne de res con cebolla		(90 g)
Rollitos de plátano rellenos con queso blanco	2 rollitos	(44 g)
Gelatina de limón	1/3 de taza	(80 g)
Kcal		**580,5**
Proteínas		31,5 g
Grasa		38,5 g
Carbohidratos		27 g

Sopa de cebollín
con aguacate

Rosbif de carne de res con cebolla
Hongos a la provenzal
Rollitos de plátano rellenos con queso blanco

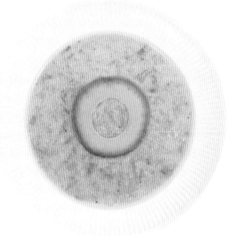

Gelatina de limón

Sopa de cebollín con aguacate

Servir 1/2 de taza de sopa y 1 rueda transversal muy delgada de aguacate.

Valor Nutricional Ración		
Ración:	1/2 taza	(106 g)
Cantidad por ración:		
Kcal		109,5
Proteínas		1,5 g
Grasa		9,5 g
Carbohidratos		4,5 g
Intercambios aproximados:		
Lista 2=1 Lista 6=2		●●●

(10 raciones)
Cantidad obtenida: **8 tazas (1.670 g)**

Ingredientes

- 1 cucharadas de aceite de oliva.
- 3/4 de kilo, unas 4 tazas de la parte blanca y algo de lo verde del cebollín, cortado en rodajas finas.
- 1/2 cucharadita de sal.
- 1/8 de cucharadita de pimienta blanca.
- 1/4 de taza de vino blanco seco.
- 3 tazas de consomé desgrasado de pollo o de carne.
- 1/4 de taza de leche descremada.
- 1 rueda de aguacate por ración, 1/8 aproximadamente.

Preparación

1. En una olla al fuego se pone el aceite a calentar. Se agrega el cebollín y se cocina hasta marchitar, unos 10 minutos. No se debe quemar, ni dorar demasiado. Se agregan, revolviendo, la sal y la pimienta y se cocina unos 2 minutos.

2. Se agrega el vino, se cocina hasta reducir a la cuarta parte, unos 2 a 3 minutos. Se agrega el consomé y se cocina unos 25 minutos más. Se le revuelve la leche descremada, se cocina a fuego bajo por unos 2 minutos y se retira del fuego para servir. Se puede adornar con una rueda muy delgada de aguacate.

Sopa de cebollín con aguacate

Hongos a la provenzal

Valor Nutricional Ración

Ración:	1 taza (195 g)

Cantidad por ración:	
Kcal	76

Proteínas	2 g
Grasa	4 g
Carbohidratos	8 g

Intercambios aproximados:

Lista 2=1
Lista 6=1/2

(4 raciones)
Cantidad obtenida: **3 tazas (780 g)**

Ingredientes

- 1 kilo de hongos (champiñones).
- 1/2 cucharada de aceite de oliva.
- 4 dientes de ajo machacados con 1 cucharadita de sal.
- 1 taza de cebolla, picadita
- 1/8 de cucharadita de pimienta.
- 1/4 de taza de vino blanco, seco.
- 1 cucharadita de pasta de tomate.

Preparación

1. Se les elimina el extremo duro a los tallos de los hongos Se limpian bien.

2. En una olla se pone el aceite. Se agregan el ajo con la sal, la cebolla y la pimienta y se cocinan hasta marchitar, unos 4 minutos. Se agregan los hongos. Se lleva a un hervor, se ponen a fuego mediano y se cocinan unos 10 minutos hasta que el líquido que sueltan casi se evapore. Se agregan el vino y la pasta de tomate y se cocina hasta reducir un poco, unos 5 minutos más.

Hongos a la provenzal

Rosbif de carne de res con cebolla

Servir unos 90 a 100 gramos y sí se quiere, no más de 1/4 de taza de cebolla.

(12 raciones)
Cantidad obtenida: **1 rosbif (1.650 g)**

Valor Nutricional Ración	
Ración:	(90 g)
Cantidad por ración:	
Kcal	313,5
Proteínas	23 g
Grasa	23,5 g
Carbohidratos	2,5 g
Intercambios aproximados:	
Lista 2=1/2	
Lista 5=3	
Lista 6=1/2	

Ingredientes

- 1/2 taza de cebolla rallada finamente.
- 2 dientes de ajo machacados.
- 1 cucharada de aceite de oliva para el adobo.
- 1/4 de cucharadita de pimienta.
- 1 1/2 cucharadita de sal.
- 1/2 cucharadita de salsa inglesa Worcestershire.
- 1 kilo de lomito o de ganso de res, ya limpio.
- 2 cucharadas de aceite de oliva adicionales.
- 1 taza de cebolla en ruedas, 1 cebolla mediana.
- 2 clavos de especia.
- 2 granos de pimienta dulce o guayabita.
- 1 taza de consomé desgrasado de carne.

Preparación

1. Se prepara un adobo mezclando la cebolla rallada, el ajo, la cucharada de aceite, la pimienta, la sal y la salsa inglesa y se frota la carne. Se deja aparte por 10 a 15 minutos.

2. En un caldero grande se ponen a calentar las 2 cucharadas de aceite restantes.

3. Se agrega la cebolla en ruedas y se fríen hasta marchitar, unos 4 minutos. Se saca la cebolla y se pone aparte.

4. Se agrega la carne al caldero. Se fríe por 3 minutos hasta dorar. Se le da vuelta con cuchara de madera y se fríe unos 3 minutos más. Se repite esta operación sin pincharlo, hasta dorar uniformemente, en total unos 9 minutos.

5. Se pone a fuego suave, se agregan el adobo, los clavos, la pimienta dulce y el consomé y se cocina a fuego lento por 5 minutos. La carne debe quedar roja en el interior.

6. Se corta en tajadas delgadas y se sirve con la cebolla frita y con la salsa a la cual se le han eliminado el exceso de grasa, los clavos y los granos de pimienta.

Rosbif de carne de res con cebolla

menú 25

Rollitos de plátano rellenos con queso blanco

Valor Nutricional Ración	
Ración:	2 rollitos (44 g)
Cantidad por ración:	
Kcal	126,5
Proteínas	5 g
Grasa	6,5 g
Carbohidratos	12 g
Intercambios aproximados:	
Lista 4=1	
Lista 6=1 1/4	

(6 raciones)
Cantidad obtenida: **12 rollitos (265 g)**

Ingredientes

- 1 plátano bien maduro (con la corteza negra).

- 1/4 de taza de aceite de oliva.

- Unos 200 gramos de queso, semiduro, unos 24 pedacitos cortados de 5 x 1 x 1 cm.

Preparación

1. Se pela el plátano. Se corta diagonalmente en tajadas de unos 2 a 3 milímetros de espesor y unos 12 centímetros de largo.

2. En una sartén, con el aceite, se fríen las tajadas por ambos lados hasta apenas comenzar a dorar. Se retiran de la sartén, se ponen en una bandeja cubierta con papel absorbente y se cubren también con papel absorbente para eliminarles el exceso de grasa. Se dejan enfriar.

3. Se cubren los pedazos de queso enrollándoles los plátanos alrededor y apretándolos para que se mantengan enrollados.

4. Se vuelven a freír los rollitos de plátano con queso, hasta dorar. Se retiran de la sartén y se les elimina el exceso de grasa con papel absorbente.

Rollitos de plátano con queso

menú 25

Gelatina de limón

Valor Nutricional Ración	
Ración:	1/3 de taza (80 g)
Cantidad por ración:	
Kcal	-
Proteínas	-
Grasa	-
Carbohidratos	-
Intercambios aproximados:	
Libre	

(6 raciones)
Cantidad obtenida: **1 1/2 taza (450g)**

Ingredientes

- 1 taza de agua caliente.
- 1 sobre de gelatina de dieta, sin azúcar, sabor a limón, unos 10 gramos.
- 1/2 taza de agua fría.

Preparación

1. En una olla pequeña se lleva a un hervor 1 taza de agua. Se le agrega y se mezcla el contenido del sobre de gelatina. Se revuelve hasta disolver y se le agrega 1/2 taza de agua fría. Se revuelve.

2. En un molde de vidrio poco profundo de unos 22 x 11 x 6 cm o moldecitos individuales, se vierte la preparación y se lleva al refrigerador hasta que endurezca.

Gelatina de limón

menú  26

Valor Nutricional Menú	
Raciones:	
Bisque de camarones	**3/4 de taza (180 g)**
Langosta en ensalada	**1/2 taza (100 g)**
Calabacines guisados	**1 taza (255 g)**
Gelatina de yogur y de limón	**1/3 de taza (85 g)**
Kcal	**508,5**
Proteínas	**40 g**
Grasa	**28,5 g**
Carbohidratos	**23 g**

Bisque de camarones
Langosta en ensalada
Calabacines guisados
Gelatina de yogur y de limón

Bisque de camarones

Langosta en ensalada

Gelatina de yogur y de limón

Calabacines guisados

Bisque de camarones

Valor Nutricional Ración

Ración:	3/4 de taza (180 g)

Cantidad por ración:

Kcal	201
Proteínas	22 g
Grasa	9 g
Carbohidratos	8 g

Intercambios aproximados:

Lista 2=1
Lista 5=3
Lista 6=1

(9 raciones)
Cantidad obtenida: **7 tazas (1.620 g)**

Ingredientes

- 3/4 de kilo de camarones.
- 2 limones.
- 2 cucharadas de aceite de oliva.
- 1 cebolla mediana, unos 200 gramos, pelada y picadita, alrededor de 1 1/2 taza.
- 4 dientes de ajo machacados.
- 1 tallo de celerí, pelado y picadito, 1/4 de taza, unos 45 gramos.
- 1 ají dulce picadito, sin semillas, unos 15 gramos.
- 6 tomates tipo "perita", picaditos sin piel y sin semillas, unas 2 tazas, unos 330 gramos.
- 2 ramitas de tomillo.
- 2 ramitas de perejil.
- 1 hoja de laurel.
- 1 cucharada de harina.
- 1/2 de taza de vino blanco seco.
- 3 1/2 tazas de consomé desgrasado de pescado.
- 1 cucharada de pasta de tomate.
- 1 cucharadita de sal.
- 1/4 de cucharadita de pimienta blanca.
- 5 gotas de salsa picante.
- 1 cucharada de jugo de limón.
- 1/2 cucharada de cognac.
- 1/4 de taza de crema ligera.

Preparación

1. Se pelan los camarones, separando las conchas, eliminándoles el intestino o tripita negra que tienen en el lomo o parte superior. Tanto las conchas como los camarones se lavan y, separados, se ponen aparte. Se frotan con limón los camarones y se pican en pedazos pequeños.

2. En una olla se pone el aceite a calentar, se agregan la cebolla y los ajos y se cocinan hasta marchitar, unos 4 minutos. Se agregan el celerí, el ají dulce, el tomate, el tomillo, el perejil y la hoja del laurel. Se agregan las conchas de los camarones y se cocinan hasta enrojecer.

3. Se agrega la harina, se revuelve bien, se agrega el vino y se cocina hasta reducir un poco. Se agrega el consomé, la pasta de tomate, la sal y la pimienta, se lleva a un hervor y se cocina a fuego mediano, tapado, por unos 10 minutos.

4. Se eliminan el tomillo, el perejil y la hoja de laurel; y el resto se pasa al vaso de la trituradora, se tritura muy bien. Se cuela a través de un colador muy fino, se vuelve a la olla limpia.

5. Se agregan los camarones picaditos y se cocinan por unos 6 minutos. Se agregan la salsa picante, el jugo de limón, el cognac y la crema de leche. Se revuelve bien con batidor de alambre, se lleva a un hervor y se cocina a fuego bajo por 2 minutos más. Se sirve inmediatamente.

Bisque de camarones

Langosta en ensalada

Valor Nutricional Ración

Ración:	1/2 taza (100 g)
Cantidad por ración:	
Kcal	179
Proteínas	14 g
Grasa	11 g
Carbohidratos	6 g
Intercambios aproximados:	
Lista 3=1/4	
Lista 5=2	
Lista 6=1	

(6 raciones)
Cantidad obtenida: **5 tazas (800 g)**

Ingredientes

- 450 gramos de carne de langosta hervida, cortada en pedazos (1 langosta viva de alrededor de 1 kilo).
- 16 tazas de agua y 4 cucharaditas de sal para cocinarla.
- La parte blanca de un ajoporro pequeño.
- 1/2 taza de celerí picadito.
- 1 cebolla pequeña.
- 1/2 hoja de laurel.
- 5 granos de pimienta.
- 4 cucharadas de salsa mayonesa.
- 2 tazas de manzanas peladas y picaditas, 1 1/2 manzana.
- 5 gotas de salsa picante.
- 5 gotas de salsa inglesa Worcestershire.
- 1/8 de cucharadita de pimienta blanca.
- 1/2 cucharadita de mostaza.
- 1 1/2 cucharadita de sal.

Preparación

1. Se cocina la langosta por unos 20 minutos o hasta que se ponga roja, en las 16 tazas de agua y las 4 cucharaditas de sal, el ajoporro, el celerí, la cebolla, el laurel y los granos de pimienta. Se deja enfriar. Se le eliminan la concha y la tripa negra que tienen a lo largo por encima. Se enjuaga y se corta en pedacitos. Se pone aparte.

2. Se colocan en un envase la mayonesa, la manzana, la salsa picante, la salsa inglesa, la pimienta, la mostaza y la sal si es necesaria, se mezclan bien y se agrega la langosta.

Langosta en ensalada

Calabacines guisados

Valor Nutricional Ración	
Ración:	1 taza (255 g)
Cantidad por ración:	
Kcal	99,5
Proteínas	2 g
Grasa	7,5 g
Carbohidratos	6 g
Intercambios aproximados:	
Lista 2=1	
Lista 6=1 1/2	

(4 raciones)
Cantidad obtenida: **4 tazas (1.030 g)**

Ingredientes

- 1 kilo de calabacines.
- 2 cucharadas de aceite de oliva.
- 1 taza de cebolla picadita.
- 3 dientes de ajo machacados.
- 1 taza de tomate picadito.
- 2 1/2 cucharaditas de sal.
- 1/2 cucharadita de pimienta.
- 1 taza de consomé desgrasado de pollo o de carne.
- 2 cucharadas de perejil picadito.

Preparación

1. Con un cuchillo se raspan ligeramente los calabacines, dejándolos verdes. Se les cortan las puntas. Se corta el resto en cuartos. Se les quitan las semillas. Se cortan en tajaditas delgadas. Se lavan y se escurren.

2. En un caldero pequeño, se pone el aceite a calentar. Se agregan la cebolla y los ajos machacados y se sofríen hasta marchitar, unos 5 minutos. Se agregan el tomate, la sal y la pimienta. Se llevan a un hervor y se cocinan tapados por unos 7 minutos. Se agregan los calabacines. Se revuelven. Se tapan y se cocinan unos 5 minutos. Se agrega el consomé y se continúan cocinando tapados por unos 5 minutos más.

3. Se destapan y se cocinan a fuego fuerte hasta secar un poco, unos 15 minutos. Se les agrega el perejil, se revuelve, se tapa y se apaga el fuego.

Calabacines guisados

Gelatina de yogur y de limón

Valor Nutricional Ración

Ración:	1/3 de taza (85 g)

Cantidad por ración:

Kcal	29

Proteínas	2 g
Grasa	1 g
Carbohidratos	3 g

Intercambios aproximados:

Lista 1=1/4

(7 raciones)
Cantidad obtenida: **2 1/2 tazas (600 g)**

Ingredientes

- 1 sobre de gelatina de dieta, sin azúcar, sabor a limón, unos 10 gramos.
- 1 taza de agua hirviendo.
- 1/2 taza de agua fría.
- 15 gramos, 3 láminas de gelatina sin sabor.
- 1/4 de taza de leche descremada.
- 1 yogur natural descremado y endulzado con edulcorante, unos 150 gramos.

Preparación

1. Se disuelve la gelatina de limón en el agua hirviendo y se le agrega y mezcla el agua fría. Se vierte en un molde de vidrio y se lleva al refrigerador hasta que tome consistencia.

2. En un envase pequeño se hidratan los 15 gramos de gelatina sin sabor en 1/4 de taza de leche. Se lleva al baño de María hasta disolver. Se baja del fuego y se agrega el yogur y se mezcla. Se pone aparte.

3. Una vez cuajada la gelatina de limón, se corta en cubitos y se agrega a la gelatina con el yogur. Se agregan mezclando suavemente los cuadritos de gelatina de limón con la gelatina de yogur. Se vierte en un molde rectangular y se lleva al refrigerador hasta que tenga consistencia.

Gelatina de yogur y de limón

menú 27

Sopa de frijolitos rojos con plátano
Carne guisada
Espárragos y chayotas salteadas
Mandarina con salsa de kiwi

Valor Nutricional Menú	
Raciones:	
Sopa de frijolitos rojos con plátano	**3/4 de taza (175 g)**
Carne guisada	**(100 g)**
Espárragos y chayotas salteadas	**1/2 taza (120 g)**
Mandarina con salsa de kiwi	**1 unidad (160 g)**
Kcal	**534**
Proteínas	**28 g**
Grasa	**24 g**
Carbohidratos	**51,5 g**

Sopa de frijolitos rojos con plátano

Carne guisada
Espárragos y chayotas salteadas

Mandarina con salsa de kiwi

Sopa de frijolitos rojos con plátano

Servir 1/2 taza de granos con 1 ruedita de plátano y completar hasta 3/4 de taza con líquido.

(13 raciones)
Cantidad obtenida: **10 tazas (2.280 g)**

Valor Nutricional Ración	
Ración:	3/4 de taza (175 g)
Cantidad por ración:	
Kcal	110
Proteínas	3 g
Grasa	2 g
Carbohidratos	19 g
Intercambios aproximados:	
Lista 4=1	
Lista 6=1/4	

Ingredientes

- 1/2 kilo de frijolitos rojos, 2 1/2 tazas.
- 17 tazas de agua.
- 320 gramos de plátano maduro, pero todavía firme, en ruedas de 2 centímetro de espesor.
- 2 cucharadas de aceite de oliva.
- 1 taza de cebolla picadita.
- 3 dientes de ajo machacados.
- 1/2 pimentón rojo rallado.
- 1/2 taza de tomate rallado, sin piel y sin semillas.
- 5 cucharaditas de sal.
- 1/4 de cucharadita de pimienta.
- 1/2 cucharada de azúcar.

Preparación

1. Se escogen y limpian los frijolitos, eliminando las impurezas y se lavan bien bajo agua corriente.

2. En una olla grande se ponen a fuego fuerte el agua y los frijolitos. Se lleva a un hervor. Se tapa la olla y se cocinan por 70 a 90 minutos o hasta ablandar.

3. Se agregan los plátanos y se continúa cocinando por 30 minutos.

4. Entretanto, en un caldero pequeño se ponen 2 cucharadas de aceite a calentar. Se agregan la cebolla y los ajos y se cocinan hasta marchitar, unos 4 minutos. Se agregan el pimentón, el tomate, la sal y la pimienta y se cocinan por unos 7 minutos, o hasta secar un poco.

5. Se agrega el sofrito a la olla, colándolo a través de un colador introducido un poco en el caldo y apretando los sólidos contra las paredes del colador. Si se quiere, se le agrega el azúcar y se cocina 10 minutos más.

Sopa de frijolitos rojos con plátano

Carne guisada

Valor Nutricional Ración	
Ración:	(100 g)
Cantidad por ración:	
Kcal	265
Proteínas	23 g
Grasa	17 g
Carbohidratos	5 g
Intercambios aproximados:	
Lista 2=1	
Lista 5=3	
Lista 6=1/2	

(10 raciones)
Cantidad obtenida: **(1.100 g)**

Ingredientes

- 2 cucharadas de aceite de oliva.
- 2 3/4 tazas de cebolla picadita.
- 5 dientes de ajo machacados.
- 2 tazas de tomate picadito, sin piel y sin semillas.
- 3/4 de taza de pimentón rojo picadito, sin venas y sin semillas.
- 3/4 de kilo de carne de res preferiblemente falda de lomito, ganso o pulpa negra limpia y sin pellejos, cortada en trocitos de 2 a 3 centímetros por lado, unas 3 1/2 tazas.
- 1 cucharadita de salsa inglesa Worcestershire.
- 1 cucharadita de pimienta.
- 1 cucharada de pasta de tomate.
- 2 cucharaditas de sal.
- 2 a 3 tazas de consomé desgrasado de carne o de agua.

Preparación

1. En un caldero o en una olla pesada se pone el aceite a calentar. Se agregan la cebolla y el ajo y se cocinan hasta marchitar, unos 4 minutos. Se agregan el tomate y el pimentón, se cocinan unos 5 a 7 minutos más.

2. Se agrega la carne. Se revuelve. Se agregan la salsa inglesa, la pimienta, la pasta de tomate y la sal, se continúa cocinando unos 5 minutos más.

3. Se agrega el consomé o el agua. Se revuelve y se tapa. Se cocina por unos 10 minutos a fuego fuerte. Se baja el fuego, y se continúa cocinando a fuego mediano por una hora o hasta que la carne esté blanda. Se destapa y se continúa cocinando a fuego fuerte por unos 20 minutos más o hasta que la salsa espese. El tiempo de cocimiento y como consecuencia la cantidad de consomé o agua a usar podrán variar un poco según la clase de carne que se utilice.

Carne guisada

Espárragos y chayotas salteadas

Valor Nutricional Ración	
Ración:	1/2 taza (120 g)
Cantidad por ración:	
Kcal	85
Proteínas	2 g
Grasa	5 g
Carbohidratos	8 g
Intercambios aproximados:	
Lista 2=1 1/2	
Lista 6=1	

(6 raciones)
Cantidad obtenida: **6 tazas (1.080 g)**

Ingredientes

- 500 gramos de espárragos.
- 4 tazas de agua.
- 1 1/2 cucharadita de sal para cocinarlos.
- 500 gramos de chayotas.
- 4 tazas de agua.
- 1 1/2 cucharadita de sal para cocinarlas.
- 2 cucharadas de aceite de oliva.
- 1 1/2 cebolla, picadita, unos 200 gramos.
- 3 dientes de ajo machacados.
- 1 1/2 cucharadita de salsa de soya.
- 1 cucharadita de salsa de ostras.
- 1/8 cucharadita de pimienta.

Preparación

1. Se les cortan las puntas a los espárragos. Se les elimina el extremo duro inferior. Se corta el resto en pedazos de 2 centímetros de largo. Se lavan. Se escurren.

2. En una olla con agua suficiente para cubrirlos y sal, se agregan los espárragos al hervir. Se lleva nuevamente a un hervor y se cocinan hasta que puedan atravesarse con una aguja, unos 15 minutos. Deben quedar blandos pero firmes y no deben cocinarse en exceso para que no pierdan su aspecto fresco. Se sacan con una espumadera y se ponen aparte.

3. Se pelan las chayotas. Se les elimina el corazón y se cortan en trocitos medianos. Se enjuagan, se escurren y se ponen aparte.

4. En una olla con el agua y la sal suficientes para cubrirlas, se agregan al hervir las chayotas picaditas. Se lleva nuevamente a un hervor y se cocinan por 25 minutos o hasta que ablanden pero no demasiado. Se escurren y se ponen aparte.

5. En una sartén se pone el aceite a calentar. Se agregan la cebolla y el diente de ajo y se fríen hasta marchitar, unos 4 minutos. Se agregan los espárragos y las chayotas y se saltean, unos 7 u 8 minutos. Se les agrega la salsa de soya, la salsa de ostras y la pimienta. Se revuelve y se baja del fuego.

Espárragos y chayotas salteadas

Mandarina con salsa de kiwi

Servir 1 mandarina (130 gramos) con 2 cucharadas de salsa de kiwi (30 gramos) = 160 gramos

Valor Nutricional Ración	
Ración:	1 unidad (160 g)
Cantidad por ración:	
Kcal	74
Proteínas	-
Grasa	-
Carbohidratos	18,5 g
Intercambios aproximados:	
Lista 3=1	●

Ingredientes

para la salsa de kiwi:

- 1 kiwi.
- 1/4 taza de agua.
- 1 cucharadita de azúcar.

Preparación

de la salsa de kiwi:

1. Se pela 1 kiwi, se corta en trocitos. Se vierte en el envase de una trituradora y se tritura bien. Se cuela a través de un colador fino de alambre. Se le agrega y revuelve el azúcar y se sirven 2 cucharadas con la mandarina pelada.

Mandarina con salsa de kiwi

menú 28

Sopa de hongos
Espinacas sudadas
Pollo sudado con papas
Ensalada de tomate y aguacate
Manzana

Valor Nutricional Menú	
Raciones:	
Sopa de hongos	3/4 de taza (170 g)
Espinacas sudadas	1 taza (124 g)
Pollo sudado con papas	100 g de carne de pollo
Ensalada de tomate y aguacate	1/2 taza (80 g)
Manzana	1 unidad pequeña (90 g)
Kcal	**648**
Proteínas	30 g
Grasa	36 g
Carbohidratos	51 g

Sopa de hongos

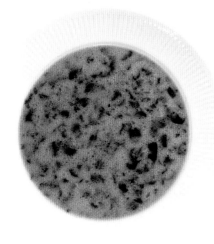

Pollo sudado con papas
Espinacas sudadas

Manzana

Ensalada de tomate y aguacate

Sopa de hongos

Valor Nutricional Ración	
Ración:	3/4 de taza (170 g)
Cantidad por ración:	
Kcal	89
Proteínas	3 g
Grasa	5 g
Carbohidratos	8 g
Intercambios aproximados:	
Lista 2=1 Lista 6=1	⬤⬤

(4 raciones)
Cantidad obtenida: **4 tazas (900 g)**

Ingredientes

- 225 gramos de hongos (champiñones), picaditos, 4 tazas.
- 1 cucharada de aceite de oliva.
- 1/2 taza de cebolla picadita, 75 gramos.
- 1/3 de taza de la parte blanca de cebollín, picadito, 40 gramos.
- 2 ramitas de tomillo o 1/4 de cucharadita si es seco molido.
- 1/3 de taza de celerí picadito, 60 gramos.
- 2 tazas de consomé desgrasado de pollo o de carne.
- 3 tomates tipo "perita", picaditos, sin piel y sin semillas, 225 gramos, 1 taza.
- 1 cucharadita de sal.
- 1/4 de cucharadita de pimienta blanca.
- 1/4 de taza de leche descremada.

Preparación

1. Se limpian muy bien los hongos. Se les elimina la parte dura de los tallos, el resto se corta verticalmente en tajaditas delgadas. Se ponen aparte.

2. En una olla se pone el aceite a calentar. Se agregan la cebolla, el cebollín y el tomillo, se fríen hasta marchitar, unos 4 minutos. Se agrega el celerí y se cocina unos 2 ó 3 minutos. Se agregan los hongos y se cocinan de 3 a 4 minutos.

3. Se agrega el consomé, el tomate, la sal y la pimienta. Se lleva a un hervor y se cocina a fuego mediano, tapado, unos 12 minutos. Se agrega la leche descremada, se cocina unos 2 a 3 minutos más y se retira del fuego.

Sopa de hongos

Espinacas sudadas

Valor Nutricional Ración	
Ración:	1 taza (124 g)
Cantidad por ración:	
Kcal	77,5
Proteínas	2 g
Grasa	5,5 g
Carbohidratos	5 g
Intercambios aproximados:	
Lista 2=1	
Lista 6=1	

(4 raciones)
Cantidad obtenida: **4 tazas (620 g)**

Ingredientes

- 7 paquetes de espinacas unos 2 kilos con tallos o unos 1 1/2 Kg de hojas, unas 20 tazas (un poco apretadas).
- 1 cucharada de aceite de oliva.
- 3 dientes de ajo.
- 1 taza de consomé desgrasado de pollo o de carne.
- 1 cucharadita de sal.
- 1/8 de cucharadita de pimienta.
- 1/2 cucharada de queso parmesano rallado por ración.

Preparación

1. Se enjuagan las hojas de espinaca y sin sacudir o escurrir se ponen en una olla al fuego y, revolviendo, se cocinan brevemente, por unos 2 minutos hasta apenas marchitar. Se ponen aparte.

2. En una sartén grande al fuego se pone el aceite a calentar, se agrega el ajo y se cocina 1 ó 2 minutos. Se elimina el ajo. Se agregan las hojas, el consomé, la sal y la pimienta y revolviendo se cocinan unos 2 minutos. Se agrega el queso parmesano, se revuelve bien, se retira del fuego y se sirve.

Espinacas sudadas

menú 28

Pollo sudado con papas

Servir 100 gramos de carne de pollo + 1 papa de unos 90 gramos.

Valor Nutricional Ración

Ración: 100 g de carne de pollo)

Cantidad por ración:	
Kcal	326
Proteínas	23 g
Grasa	18 g
Carbohidratos	18 g

Intercambios aproximados:

Lista 4=1
Lista 5=3
Lista 6=1

(6-8 raciones)
Cantidad obtenida: **1 pollo + papas (2.500 g)**

Ingredientes

- 1 pollo de 1 1/2 kilo cortado en presas.
- 1 limón.
- 1 cucharada de aceite de oliva.
- 1/4 de cucharadita de pimienta molida.
- 2 cucharaditas de sal.
- 1/3 de taza de jugo de cebolla.
- 1 cucharadita de salsa inglesa Worcestershire.
- 2 dientes de ajo machacados.
- 1 1/2 cucharadita de vinagre.
- 1 cucharada de aceite de oliva adicional.
- 2 cebollas grandes en ruedas.
- 5 granos de pimienta.
- 1 ramita de perejil.
- 1/4 de taza de consomé desgrasado de pollo o de carne.
- 1 kilo de papas medianas peladas y enteras.

Preparación

1. Se limpia el pollo, se lava, se frota con limón, se enjuaga y se seca.

2. En un envase se prepara un adobo con el aceite, la pimienta, la sal, el jugo de la cebolla, la salsa inglesa, el ajo y el vinagre, se agregan las presas de pollo. Se deja aparte por 1 hora, dándole vuelta de vez en cuando.

3. En un caldero se pone a calentar la cucharada de aceite, se agrega la cebolla en ruedas, los granos de pimienta y el perejil y se sofríe hasta que la cebolla esté bien dorada, unos 9 minutos.

4. Se eliminan el perejil y los granos de pimienta y la cebolla se pone aparte.

5. En el mismo caldero se coloca el pollo y se fríe dándole vueltas hasta que esté bien dorado por todas partes, unos 9 minutos.

6. Una vez dorado el pollo, se elimina la grasa. Se lava y seca el caldero, éste se coloca al fuego. Se agrega la cebolla que se reservó previamente, el adobo del pollo, el consomé, las presas de pollo y las papas peladas. Se tapa, se pone a fuego lento y se cocina por 50 a 60 minutos más.

7. Se cuela la salsa apretando los sólidos contra las paredes del colador y se calienta sí es necesario. La salsa se le agrega nuevamente al pollo para servirlo con las papas.

Pollo sudado con papas

Ensalada de tomate y aguacate

Servir 1/2 de taza de tomate + 1 rueda transversal muy delgada de un aguacate mediano, no más de 1/8 por persona.

(8 raciones)
Cantidad obtenida: **6 tazas (970 g)**

Valor Nutricional Ración	
Ración:	1/2 taza (80 g)
Cantidad por ración:	
Kcal	95,5
Proteínas	2 g
Grasa	7,5 g
Carbohidratos	5 g
Intercambios aproximados:	
Lista 2=1	
Lista 6=1 1/2	

Ingredientes

para la ensalada:

- 2 tomates grandes, tipo manzano, maduros pero firmes, unos 500 gramos.
- 1 aguacate de unos 750 gramos.

para la vinagreta:

- 2 cucharadas de aceite de oliva.
- 1 cucharada de vinagre.
- 4 cucharadas de agua.
- 1/2 cucharada de mostaza.
- 1 1/2 cucharadita de sal.
- 1/8 de cucharadita de pimienta.

Preparación

de la ensalada:

1. Se lavan y se cortan los tomates preferiblemente sin semillas, en forma de cuadritos de 2 centímetros por lado.
2. Se pela el aguacate y se corta verticalmente por la mitad para eliminarle la semilla, se corta a su vez en gajos gruesos.

de la vinagreta:

3. En una licuadora, se baten los ingredientes de la vinagreta hasta emulsionarlos.
4. En un envase se mezclan los tomates y el aguacate y se le revuelve la vinagreta para servirla.

Ensalada de tomate y aguacate

Manzana

Valor Nutricional Ración	
Ración: **1 unidad pequeña (90 g)**	
Cantidad por ración:	
Kcal	60
Proteínas	-
Grasa	-
Carbohidratos	**15 g**
Intercambios aproximados:	
Lista 3=1	

Manzana tipo gala

Tostadas con hongos con crema
Arroz blanco
Calamares en su tinta
Vegetales a la caponata
Gelatina de cítricos

Valor Nutricional Menú	
Raciones:	
Tostadas con hongos con crema	**1/2 taza (100 g)**
Arroz blanco	**1/3 de taza (55 g)**
Calamares en su tinta	**1/2 taza (100 g)**
Vegetales a la caponata	**1/2 taza (115 g)**
Gelatina de cítricos	**1/3 de taza (90 g)**
Kcal	**526,5**
Proteínas	**30 g**
Grasa	**22,5 g**
Carbohidratos	**51 g**

Tostadas con hongos con crema

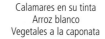

Calamares en su tinta
Arroz blanco
Vegetales a la caponata

Gelatina de cítricos

Tostadas con hongos con crema

Servir 1/2 taza de hongos (100 gramos) sobre 1 rebanada de pan tostado (20 gramos).

(4 raciones)
Cantidad obtenida: **2 tazas (400 g)**

Valor Nutricional Ración	
Ración:	1/2 taza (100 g)
Cantidad por ración:	
Kcal	146
Proteínas	3 g
Grasa	6 g
Carbohidratos	20 g
Intercambios aproximados:	
Lista 2=1	
Lista 4=1	
Lista 6=1	

Ingredientes

- 3/4 de kilo de hongos (champiñones) frescos.
- 1 cucharada de aceite de oliva.
- 1 taza de cebolla picadita.
- 1 1/2 cucharadita de sal.
- 1/4 de cucharadita de pimienta blanca, molida.
- 1/2 taza de vino blanco, seco.
- 1 cucharadas de crema liviana.
- 4 rebanadas de pan de molde (1 por ración).

Preparación

1. Se precalienta el horno a 350° F.
2. Se corta el extremo del tallo de los hongos. Se limpian bien. Se cortan verticalmente en tajadas delgadas. Los tallos que se desprenden se cortan en ruedas delgadas. Se ponen aparte.
3. En una olla o sartén se pone el aceite a calentar, se agrega la cebolla y se sofríe hasta que comience a dorar, unos 4 a 5 minutos.
4. Se agregan los hongos, la sal y la pimienta. Se sofríen hasta que se evapore el agua que producen, unos 10 a 15 minutos. Se les agrega el vino y se cocina hasta reducirlo a la mitad del volumen, unos 10 minutos más. Se pone a fuego muy suave, se agrega la crema, se revuelve y se cocina hasta espesar, unos 3 minutos.
5. Entretanto, se han puesto las rebanadas de pan en el horno, hasta dorar. Al sacar cada rebanada de pan del horno, se cubre con la preparación y así se sirve de inmediato.

Tostadas con hongos y crema

Arroz blanco

Valor Nutricional Ración	
Ración:	1/3 de taza (55 g)
Cantidad por ración:	
Kcal	90,5
Proteínas	2 g
Grasa	2,5 g
Carbohidratos	15 g
Intercambios aproximados:	
Lista 4=1	
Lista 6=1/2	

(6 raciones)

Cantidad obtenida: **2 tazas (330 g)**

Ingredientes

- 1 taza de arroz.
- 1 1/2 taza de agua.
- 1/2 cebolla pequeña cortada en dos, unos 45 gramos.
- 1/4 de pimentón rojo-verde, unos 50 gramos.
- 1 diente de ajo.
- 1 cucharadita de sal.
- 1 cucharada de aceite de oliva.

Preparación

1. Se lava el arroz en un colador de alambre, frotándolo bajo agua corriente hasta que ésta salga transparente. Se escurre. Inmediatamente se pone en una olla pesada y con tapa pesada, con el agua, la cebolla, el pimentón, el ajo, la sal y el aceite. Se revuelve bien.

2. Se enciende el fuego y sin tapar se lleva a un hervor a fuego fuerte. Se cocina hasta que casi evapore el agua, y aparezcan huecos en la superficie, unos 5 a 7 minutos. Se tapa, se pone a fuego muy suave y se cocina sin revolver por 20 a 22 minutos más o hasta que esté blando, seco y con los granos separados.

3. El arroz se revuelve con un tenedor al principio y se revuelve nuevamente cuando está listo y se apaga el fuego, se le eliminan la cebolla, el ajo y el pimentón.

Arroz blanco

Calamares en su tinta

Valor Nutricional Ración

Ración:	1/2 taza (100 g)
Cantidad por ración:	
Kcal	160
Proteínas	23 g
Grasa	6 g
Carbohidratos	3,5 g
Intercambios aproximados:	

Lista 5=3
Lista 6=1/2 ●●●◗

(8 raciones)
Cantidad obtenida: **4 tazas (800 g)**

Ingredientes

- 1 kilo de calamares.
- 2 limones.
- 2 tazas de consomé desgrasado de pescado o de carne.
- 2 cucharadas de aceite de oliva.
- 2 tazas de cebolla picadita.
- 4 dientes de ajo machacados.
- 1/2 cucharadita de pimienta.
- 1 1/4 de cucharadita de sal.
- 1/4 de taza de vino blanco seco.
- 1 cucharada de perejil picadito.

Preparación

1. Se separa el cuerpo de la cabeza, la que arrastra todo el interior del calamar, que no se utiliza. Con cuidado para que no se rompan, se les quitan los ojos y la bolsita de tinta que tienen y se ponen aparte. Se lavan muy bien los calamares bajo agua corriente. Con la mano se les arranca completamente la piel violácea que tienen, limpiándolos muy bien en su interior, si es posible dándoles vuelta. Se frotan con limón. Se enjuagan bajo agua corriente. Se cortan, cuerpo y tentáculos en ruedas de 1 a 2 centímetros de largo y se ponen a escurrir en un colador de alambre. Debe arrancárseles, también, la parte dura o pico con un orificio, que tienen en su parte inferior entre los tentáculos.

2. En una olla se ponen el consomé, los ojos y las bolsitas de tinta. Se lleva a un hervor y se cocinan por 10 minutos. Se cuela en otro envase a través de un colador de alambre, apretando bien los ojos y bolsitas contra las paredes del colador para sacar la tinta. Se pone aparte.

3. En un caldero mediano se pone el aceite a calentar. Se agregan la cebolla y el ajo y se sofríen hasta marchitar, de 5 a 7 minutos. Se agregan el calamar, la pimienta y la sal y se cocina a fuego fuerte destapado por 20 minutos.

4. Se agregan al caldero el consomé con la tinta, el vino y el perejil. Se lleva a un hervor y se cocinan a fuego fuerte por 5 minutos. Se pone a fuego mediano y se continúa cocinando por unos 35 a 40 minutos más o hasta que la salsa espese un poco.

Calamares en su tinta

Vegetales a la caponata

Valor Nutricional Ración	
Ración:	**1/2 taza (115 g)**
Cantidad por ración:	
Kcal	100
Proteínas	2 g
Grasa	8 g
Carbohidratos	5 g
Intercambios aproximados:	
Lista 2=1	
Lista 6=1 1/2	

(6 raciones)
Cantidad obtenida: **6 tazas (1.200 g)**

Ingredientes

- 3 cucharadas de aceite de oliva.
- 1 berenjena grande.
- 1 taza de celerí en trocitos
- 2 cebollas medianas picaditas.
- 8 tomates tipo perita picaditos sin piel y sin semillas.
- 1/2 cucharadita de sal.
- 1/8 de cucharadita de pimienta.
- 4 cucharadas de vinagre de vino.
- 4 cucharadas de alcaparras.
- La pulpa de 10 a 12 aceitunas picaditas.

Preparación

1. En una sartén se ponen 2 de las cucharadas de aceite, al fuego. Se pela la berenjena y se corta en cuadritos de 2 x 2 x 2 cm, y se fríen a fuego fuerte sin dejar de revolver. Se saca la berenjena de la olla, se pone aparte y se agrega la cucharada de aceite restante a la sartén. Se agrega el celerí y se cocina por 5 minutos. Se agrega la cebolla y se continúa cocinando hasta marchitar unos 4 minutos. Se agregan los tomates, la sal y la pimienta, se tapa y se cocina por 6 minutos más. Se regresa la berenjena a la sartén y se cocina tapada y a fuego suave por 5 minutos.

2. Entretanto, aparte se calienta el vinagre en una ollita y se cocina unos 30 segundos.

3. Se agregan a la sartén las alcaparras, las aceitunas y el vinagre, se cocina a fuego suave por 5 minutos y se retira del fuego.

Vegetales a la caponata

menú 29

Gelatina de cítricos

Valor Nutricional Ración		
Ración:	1/3 de taza	(90 g)
Cantidad por ración:		
Kcal		30
Proteínas		-
Grasa		-
Carbohidratos		7,5 g
Intercambios aproximados:		
Lista 3=1/2		

(7 raciones)

Cantidad obtenida: **2 1/2 tazas (645 g)**

Ingredientes

- 1 toronja rosada preferiblemente, unos 90 gramos sin piel y sin semillas, 3/4 de taza en gajos.
- 1 naranja grande, unos 90 gramos sin piel y sin semillas y en gajos, 1 taza.
- 1 mandarina, unos 90 gramos, 1/2 taza en gajos.
- 1 taza de agua caliente.
- 1 sobre de gelatina de dieta, sin azúcar, sabor a limón, mandarina, naranja, o toronja, unos 10 gramos.
- 1/2 taza de agua fría.

Preparación

1. Se pela la toronja, la naranja y la mandarina, eliminando la membrana blanca que las cubre. Se separa la pulpa en gajos y se pone aparte por separado.

2. En una olla pequeña se lleva a un hervor 1 taza de agua. Se le agrega y se mezcla el contenido del sobre de gelatina. Se revuelve hasta disolver y se le agrega 1/2 taza de agua fría. Se revuelve.

3. En un molde de vidrio poco profundo de unos 22 x 11 x 6 cm, o moldecitos individuales, se colocan los gajos de las frutas en el fondo del envase y se agrega la gelatina. Se lleva al refrigerador hasta que endurezca.

Gelatina de cítricos

menú  30

Espaguetis con anchoas
Legumbres salteadas
Carne a la parrilla
Ensalada de hongos
Patilla

Valor Nutricional Menú	
Raciones:	
Espaguetis con anchoas	1/2 taza (60 g)
Legumbres salteadas	1/2 taza (60 g)
Carne a la parrilla	(100 g)
Ensalada de hongos	1/2 taza (63 g)
Patilla	1 1/4 de taza (300 g)
Kcal	**645**
Proteínas	30,5 g
Grasa	39 g
Carbohidratos	43 g

Espaguetis con anchoas

Carne a la parrilla
Legumbres salteadas

Patilla

Ensalada de hongos

Espaguetis con anchoas

Valor Nutricional Ración	
Ración:	1/2 taza (60 g)
Cantidad por ración:	
Kcal	141,5
Proteínas	3,5 g
Grasa	7,5 g
Carbohidratos	15 g
Intercambios aproximados:	

Lista 4=1
Lista 5=1/4
Lista 6=1 1/2

(6 raciones)
Cantidad obtenida: **3 tazas (360 g)**

Ingredientes

- 10 tazas de agua.
- 3 cucharaditas de sal.
- 150 gramos (25 gramos por persona) de pasta preferiblemente "spaguettini" o similar.
- 1 taza de agua fría.
- 3 cucharadas de aceite de oliva.
- 6 dientes de ajo.
- 1 1/2 cucharadita de pimentón rojo, seco molido.
- 60 gramos de anchoas.
- 2 cucharadas de agua.

Es imprescindible para el éxito de esta receta, tener todos los ingredientes a mano desde el principio.

Preparación

1. En una olla se pone a hervir suficiente cantidad de agua, unas 8 tazas, con sal, unas 3 cucharaditas. Se lleva a un hervor. Se agrega la pasta, revolviendo y levantando suavemente con un tenedor de cocina para separar y evitar que se pegue.

2. Se lleva nuevamente a un hervor y se cocina hasta que esté "al dente" unos 5 minutos (según las instrucciones del paquete).

3. Antes de retirarlos del fuego se le agrega a la olla una taza de agua fría. Se escurren a través de un colador y se vuelven a la olla seca que se colocará sobre la hornilla a fuego suavísimo.

4. Por otra parte, en una sartén se ponen las 3 cucharadas de aceite y se fríen los dientes de ajo hasta que estén dorados. Se eliminan los ajos.

5. Se retira la sartén del fuego y se deja enfriar el aceite unos 50 a 60 segundos, se agrega el pimentón molido revolviendo rápidamente, se vierte de inmediato sobre la pasta y se revuelven bien. Esta última operación se hace muy rápidamente para evitar que se queme el pimentón.

6. Se limpia la sartén y se le agregan las anchoas picaditas y 2 cucharadas de agua, se cocinan unos 5 minutos, hasta que se forme una salsa la cual se revuelve también a la pasta.

7. Se sirve inmediatamente.

Espaguetis con anchoas

Legumbres salteadas

Valor Nutricional Ración	
Ración:	1/2 taza (60 g)
Cantidad por ración:	
Kcal	73
Proteínas	2 g
Grasa	5 g
Carbohidratos	5 g
Intercambios aproximados:	
Lista 2=1	
Lista 6=1	

(6 raciones)
Cantidad obtenida: **3 tazas (405 g)**

Ingredientes

- 8 taza de agua.
- 2 cucharaditas de sal.
- 2 cucharadas de aceite de oliva.
- 2 dientes de ajo machacados.
- 1/2 taza de cebolla picadita.
- 100 gramos de brócolis.
- 120 gramos de calabacín cortado en juliana.
- 30 gramos de zanahoria cortada en juliana, 1/4 de taza.
- 30 gramos de vainitas, 1/4 de taza.
- 1 cucharadita de sal.
- 1/8 de cucharadita de pimienta.
- 1/2 cucharada de salsa de ostras.

Preparación

1. En una olla con suficiente agua caliente con sal abundante, se cocinan los brócolis hasta estar al dente. Se sacan y se ponen en una fuente con agua y hielo para que no pierdan el color. De igual manera se hace con el calabacín, la zanahoria y las vainitas todo por separado y se ponen aparte.

2. En una sartén al fuego se pone el aceite a calentar y se agregan los dientes de ajo. Se agregan los vegetales, la sal, la pimienta y la salsa de ostras y se sofríen por 5 minutos. Se bajan del fuego y se sirven.

Legumbres salteadas

Carne a la parrilla

Valor Nutricional Ración	
Ración:	(100 g)
Cantidad por ración:	
Kcal	298,5
Proteínas	22 g
Grasa	22,5 g
Carbohidratos	2 g
Intercambios aproximados:	
Lista 5=3 Lista 6=1/4	

(12 raciones)
Cantidad obtenida: **1 lomito (1.250 g)**

Ingredientes

- 1 kilo de carne de lomito, de res.
- 1 taza de cebolla rallada finamente.
- 2 dientes de ajo machacados.
- 2 cucharadas de aceite de oliva.
- 1 cucharada de salsa inglesa Worcestershire.
- 2 1/2 cucharaditas de sal.
- 1/4 de cucharadita de pimienta.
- Alrededor de 1/16 de cucharadita de comino (opcional).

Preparación

1. Se limpia la carne.
2. Se pone el lomito sobre una tabla y con un cuchillo afilado, casi paralelo a la tabla y dirigiendo el cuchillo hacia el frente (alejándose de la persona que lo hace), se corta longitudinalmente a unos 3 centímetros del borde hasta llegar a unos 3 centímetros del fondo, de manera de formar una tela extendida de un espesor uniforme, aproximadamente, de 3 centímetros. Se repite varias veces esta operación dando vuelta a la carne cada vez, hasta tenerla extendida como una tela de unos 2 centímetros de espesor.
3. Se prepara un adobo mezclando los demás ingredientes y se frota la carne con esa mezcla. Se deja en un envase con el adobo por 1 ó 2 horas.
4. Alrededor de 1/2 hora antes de asar la carne, se enciende una parrilla con carbón vegetal. La carne se debe asar sobre los carbones completamente encendidos y blancos en el exterior y a una distancia de 6 a 8 centímetros de los carbones.
5. Se pone la carne sobre la parrilla o en una doble parrilla que la aprisione y se cocina unos 5 a 7 minutos, por lado.

Nota: puede cocinarse también sobre un budare bien caliente, ligeramente engrasado con el mínimo de aceite, hasta obtener el grado de cocimiento deseado.

Carne a la parrilla

Salsas complementarias

Salsa guasacaca

Servir 1 cucharadita por ración, que corresponde a una porción de la Lista 6, alrededor de 45 kcal.

Ingredientes

- 1 1/4 taza de tomate picadito, sin piel y sin semillas.
- 1 taza de cebolla picadita.
- 1 ó 2 dientes de ajo machacados.
- 1/4 de taza de pimentón rojo picadito.
- 1/3 de taza de pimentón verde picadito.
- 1 1/2 cucharada de perejil picadito.
- 1/2 taza de vinagre de vino.
- 1 taza de aceite de oliva.
- 2 1/2 cucharaditas de sal.
- 1/4 de cucharadita de pimienta.
- 1/4 de cucharadita de salsa picante.
- 1 1/2 taza de aguacate en forma de puré.
- 1 1/2 taza de aguacate picadito.

Preparación

1. En un envase se mezclan todos los ingredientes revolviendo cuidadosamente con cuchara de madera y cuidando pelar y agregar el aguacate de último para que evitar que se oscurezca y, con el mismo objeto, se coloca la semilla del aguacate dentro de la salsa. Se mete en la nevera hasta el momento de servirla.

Nota: Excelente calidad nutricional por contener ácidos grasos monoinsaturados.

Mojo isleño

Servir 1 cucharadita por ración, que corresponde a una porción de la Lista 6, alrededor de 45 kcal.

Ingredientes

- 3 cebollas medianas peladas, 225 gramos.
- 16 dientes de ajo pequeños, 1/4 de taza.
- 3 tazas de hojas de cilantro.
- 1 taza de hojas de perejil, (ambos deben ser medidos sin apretar demasiado).
- 1 a 2 ajíes picantes o 1 1/2 cucharadita si es ají seco, molido.
- 1/4 de taza de pan seco, molido.
- 1 taza de consomé desgrasado de carne.
- 1/2 taza de aceite de oliva.
- 1/2 taza de vinagre.
- 1/2 cucharadita de pimienta.
- 2 cucharaditas de sal.
- 1 cucharada de pimentón rojo seco, molido.

Preparación

1. Con una máquina para moler maíz, no muy apretada para que salga ligeramente grueso, se muelen las cebollas que se han cortado en pedazos, los ajos previamente machacados, el cilantro, el perejil y los ajíes sin venas ni semillas. Se agrega el pan seco molido y se mezcla.

2. La mezcla se pone en una olla y se le agregan los demás ingredientes.

3. Se lleva a un hervor y se cocina a fuego fuerte 12 minutos hasta que adquiera un color verde-amarillento oscuro y una consistencia espesa.

Nota: Se sirve con pescado, con papas y batatas hervidas, con carnes, hervidos, sopas, etc.

Ensalada de hongos

Valor Nutricional Ración	
Ración:	1/2 taza (63 g)
Cantidad por ración:	
Kcal	72
Proteínas	3 g
Grasa	4 g
Carbohidratos	6 g
Intercambios aproximados:	
Lista 2=1 Lista 6=3/4	

(8 raciones)

Cantidad obtenida: **4 tazas (500 g)**

Ingredientes

para la ensalada:

• 400 gramos de hongos (champiñones).

• 1 cebolla mediana picadita finamente, 3 cucharadas.

• 3 dientes de ajo machacados.

para la vinagreta:

• 2 cucharadas de aceite de oliva.

• 1 cucharada de vinagre, preferiblemente de vino.

• 4 cucharadas de agua.

• 1/2 cucharada de mostaza.

• 1 1/2 cucharadita de sal.

• 1/8 de cucharadita de pimienta.

Preparación

de la ensalada:

1. Se escogen y se limpian muy bien los hongos, se elimina el extremo duro a los tallos de los hongos.

2 Se cortan verticalmente en tajadas delgadas. Se les mezcla la cebolla y los ajos.

de la vinagreta:

3. En una licuadora se ponen todos los ingredientes de la vinagreta y se baten hasta emulsionarlos y se revuelve a los hongos. Se lleva a la nevera por 1/2 hora y se revuelven antes de servir.

Ensalada de hongos

Patilla

Valor Nutricional Ración	
Ración:	1 1/4 de taza (300 g)
Cantidad por ración:	
Kcal	60
Proteínas	-
Grasa	-
Carbohidratos	15 g
Intercambios aproximados:	
Lista 3=1	

Patilla

menú (31)

Quesillo salado
Pescado en escabeche
Plátano horneado
Ensalada de pimentones rojos
Ensalada de frutas

Valor Nutricional Menú	
Raciones:	
Quesillo salado	**1/3 de taza (65 g)**
Pescado en escabeche	**(200 g)**
Plátano horneado	**(50 g)**
Ensalada de pimentones rojos	**1/2 taza (75 g)**
Ensalada de frutas	**1/2 taza (62 g)**
Kcal	**647,5**
Proteínas	**34 g**
Grasa	**37,5 g**
Carbohidratos	**43,5 g**

Quesillo salado

Pescado en escabeche
Plátano horneado

Ensalada de frutas

Ensalada de pimentones rojos

Quesillo salado

Valor Nutricional Ración	
Ración:	**1/3 de taza (65 g)**
Cantidad por ración:	
Kcal	152
Proteínas	8 g
Grasa	12 g
Carbohidratos	3 g
Intercambios aproximados:	
Lista 5=1	
Lista 6=1 1/2	

(9 raciones)
Cantidad obtenida: **3 tazas (600 g)**

Ingredientes

- 4 claras de huevo + 1 amarillo.
- 3 1/4 tazas de queso blanco duro llanero rallado.
- 3 cucharadas de queso parmesano rallado.
- 3/4 de taza de leche descremada.
- 1 cucharadita de perejil picadito.
- 1/8 cucharadita de pimienta blanca.

para la salsa de tomate:

- 1/4 de taza de aceite de oliva.
- 1 taza de cebolla rallada.
- 5 dientes de ajo machacados.
- 1/2 pimentón picadito, sin venas y sin semillas.
- 2 tazas de tomate picadito, sin piel y sin semillas.
- 1 taza de consomé desgrasado de pollo o de carne.
- 2 1/2 cucharaditas de sal.
- 1/8 de cucharadita de pimienta.
- 1 cucharadita de pasta de tomate.
- 1/2 cucharada de perejil picadito.

Preparación

1. Se precalienta el horno a 350° F.
2. Se baten las claras y la yema de huevo con batidor de alambre. Se le agregan los quesos y se bate bien. Se le agregan la leche, el perejil y la pimienta. Se mezcla bien.
3. Se vierte la mezcla en moldecitos individuales y se ponen dentro de otro envase más grande con 3 a 4 centímetros de agua hirviendo, es decir, en baño de María. Se tapa y se pone a fuego mediano. Se cocina por 1 hora o hasta que al introducirle una aguja, ésta salga seca.

de la salsa de tomate:

4. Entretanto, se prepara una salsa liviana de tomate, calentando en un caldero pequeño 1/4 de taza de aceite, se agregan la cebolla y el ajo y se sofríe hasta marchitar, unos 4 a 5 minutos. Se agrega el pimentón, se cocina 6 a 7 minutos. Se agrega el tomate, el consomé de carne, la sal y la pimienta. Se lleva a un hervor y se cocina unos 10 minutos o hasta que espese.
5. Se cuela a través de un colador de alambre. Se pone a fuego en una olla pequeña, se le agregan la pasta de tomate y el perejil. Se lleva a un hervor, se cocina 1 minuto y se vierte sobre y alrededor el quesillo caliente.

Quesillo salado

Pescado en escabeche

Servir 100 gramos de pescado y unos 100 gramos de vegetales.

Valor Nutricional Ración	
Ración:	(200 g)
Cantidad por ración:	
Kcal	319
Proteínas	23 g
Grasa	23 g
Carbohidratos	5 g
Intercambios aproximados:	
Lista 5=3	
Lista 6=1 1/2	●●●◖◗

(8 raciones)

Cantidad obtenida: **8 ruedas (1.670 g)**

Ingredientes

- 800 gramos de pescado en ruedas delgadas de 1 1/2 a 2 centímetros de espesor y de tamaño mediano, unas 8 ruedas preferiblemente carite, sierra o pargo.
- 2 limones.
- 1 cucharada de sal.
- 2 cucharadas de aceite de oliva para freír.
- 400 gramos de cebolla en ruedas, 3 cebollas.
- 500 gramos de pimentones rojos y verdes en tiritas, 2 pimentones grandes.
- 3 dientes de ajo machacados.

para la vinagreta:

- 1/4 de taza de aceite de oliva.
- 1 cucharada de vinagre.
- 1 1/2 cucharadita de sal.
- 1/2 cucharadita de pimienta.

Preparación

1. Se lavan las ruedas de pescado. Se les agrega el jugo de los limones. Se enjuagan. Se escurren muy bien. Se frotan con la sal por ambos lados y se ponen en una bandeja aparte.

2. En una sartén se pone el aceite a calentar y se cocina el pescado de 3 a 4 minutos o hasta dorar por ambos lados. Se sacan y con papel absorbente se les elimina el exceso de grasa.

3. En un envase se prepara una vinagreta mezclando 1/4 de taza más de aceite, el vinagre, la sal y la pimienta.

4. En un envase grande de vidrio se acomodan en capas, las ruedas de pescado, la cebolla, el pimentón y los ajos machacados, regándoles la vinagreta por encima.

5. Se mete la bandeja en la nevera a enfriar. Se saca 1/2 hora antes de servirlo.

Pescado en escabeche

Plátano horneado

Valor Nutricional Ración	
Ración:	(50 g)
Cantidad por ración:	
Kcal	68
Proteínas	2 g
Grasa	-
Carbohidratos	15 g
Intercambios aproximados:	
Lista 4=1	●

Cantidad obtenida: **1 unidad**

Ingredientes

• 1 plátano maduro con la piel ya negra.

Preparación

1. Se precalienta el horno a 400º F.

2. Se le cortan las puntas al plátano y se le hace un corte a todo lo largo de la piel.

3. Se pone con la piel sobre una bandeja de metal para hornear y se mete en el horno. Se hornea por 30 a 35 minutos en total, dándole 2 ó 3 vueltas para que se cocine uniformemente. Se sirve inmediatamente.

Plátano horneado

Ensalada de pimentones rojos

Valor Nutricional Ración		
Ración:		1/2 taza (75 g)
Cantidad por ración:		
Kcal		36,5
Proteínas		1 g
Grasa		2,5 g
Carbohidratos		2,5 g
Intercambios aproximados:		
Lista 2=1/2 Lista 6=1/2		◖ ◗

(6 raciones)
Cantidad obtenida: **3 tazas (450 g)**

Ingredientes

para la ensalada:

- 1 kilo de pimentones rojos.
- 1 cucharada de aceite de oliva.
- 1/8 de cucharadita de pimienta blanca molida.
- 3/4 de cucharadita de sal.
- 2 dientes de ajo cortados en mitades.

Preparación

de la ensalada:

1. Se precalienta el horno a 400° F.
2. Se lavan los pimentones enteros y se secan. Se meten en el horno en una bandeja de metal, dándoles vuelta de vez en cuando hasta que comiencen a dorar, unos 25 a 30 minutos. Se sacan del horno. Se envuelven con un paño humedecido con agua fría, se dejan reposar y todavía calientes se les quita la piel y las semillas y se cortan en tiritas delgadas.
3. Por otra parte, se mezclan el aceite, la pimienta, la sal y el ajo y se agregan a los pimentones. Se revuelve bien y se mete en la nevera por 1/2 a 1 hora, revolviendo de vez en cuando.
4. Antes de servir, se saca de la nevera, se le quita el ajo y se revuelve bien.

Ensalada de pimentones rojos

Ensalada de frutas

Valor Nutricional Ración	
Ración:	1/2 taza (62 g)
Cantidad por ración:	
Kcal	72
Proteínas	-
Grasa	-
Carbohidratos	18 g
Intercambios aproximados:	
Lista 3=1	●

(18 raciones)
Cantidad obtenida: **9 tazas (1.120 g)**

Ingredientes

- 1 taza de lechosa, 170 gramos.
- 1 taza de piña, 100 gramos.
- 1 taza de melón, 300 gramos.
- 1 taza de naranja, 210 gramos.
- 1 taza de pera, 135 gramos.
- 1 taza de manzana, 100 gramos.
- 1 taza de grape-fruit, 215 gramos.
- Todo medido después de cortado en pedacitos de 1 centímetro.
- 1 taza de jugo de naranja.
- 1/2 taza de edulcorante.
- 1 1/2 cucharadita de nuez moscada, rallada.

Preparación

1. En un envase grande se mezclan las frutas, se agregan el jugo, el edulcorante y la nuez moscada y se revuelve suavemente con una cuchara de madera. Se mete en la nevera 1 ó 2 horas antes de servir.

Ensalada de frutas

menú  32

Sopa (guisado) de pollo con papas y arroz
Chop suey de vegetales
Mousse de ají dulce
Ensalada de tomate, cebolla y orégano
Mango

Valor Nutricional Menú

Raciones:

Sopa (guisado) de pollo con papas y arroz	1 taza (240 g)
Chop suey de vegetales	1 taza (170 g)
Mousse de ají dulce	1/2 taza (125 g)
Ensalada de tomate, cebolla y orégano	1 taza (130 g)
Mango	(100 g)
Kcal	**610,5**
Proteínas	**31 g**
Grasa	**30,5 g**
Carbohidratos	**53 g**

Sopa (guisado) de pollo con papas y arroz

Chop suey de vegetales
Mousse de ají dulce

Mango

Ensalada de tomate, cebolla y orégano

Sopa (guisado) de pollo con papas y arroz

Servir unos 100 gramos de pollo + unos 60 gramos de papas, 1 cucharada rasa de arroz y completar con caldo.

(11 raciones)
Cantidad obtenida: **11 tazas (2.610 g)**

Valor Nutricional Ración	
Ración:	1 taza (240 g)
Cantidad por ración:	
Kcal	317
Proteínas	23 g
Grasa	17 g
Carbohidratos	18 g
Intercambios aproximados:	
Lista 2=1	
Lista 4=1	
Lista 5=3	
Lista 6=1/4	

Ingredientes

- 1 pollo de 1 1/2 kilo.
- 1 limón cortado en trozos.
- 2 cucharadas de aceite de oliva.
- 1/2 taza de cebolla rallada.
- 2 dientes de ajo machacados.
- 1 1/4 taza de tomate rallado, sin piel y sin semillas.
- 5 tazas de agua.
- 1 cucharadita de salsa inglesa Worcestershire.
- 1/2 cucharadita de orégano seco, molido.
- 1 cucharada de vinagre.
- 1/2 cucharadita de pimienta.
- 3 cucharaditas de sal.
- 1 cucharadita de pimentón rojo, seco, molido.
- 1/2 kilo de papas peladas y en pedazos de 2 centímetros por lado.
- 2 cucharadas de perejil picadito.
- 1 cucharada de arroz cocido por ración para agregar al servir (opcional).

Preparación

1. Se frota el pollo con limón, se lava y se corta en pedazos pequeños.

2. En un caldero grande u olla pesada, se pone el aceite a calentar. Se agrega el pollo y se fríe hasta que comience a dorar por todas partes, unos 10 a 12 minutos.

3. Se sacan las presas de pollo del caldero. En el mismo caldero se agregan la cebolla y el ajo y se sofríen hasta marchitar, unos 4 minutos. Se agrega el tomate, se cocina unos 10 minutos más.

4. Se agregan el agua, la salsa inglesa, el orégano, el vinagre, la pimienta, la sal, el pimentón molido, las papas y el pollo. Se revuelve. Se lleva a un hervor y tapado se cocina a fuego fuerte por unos 15 minutos.

5. Se pone a fuego mediano, se abre un poquito la tapa y se cocina por unos 20 minutos más hasta que tenga consistencia de sopa espesa. Se le agrega el perejil picadito. Se revuelve. Si se desea se puede servir con 1 cucharada de arroz cocido por ración.

Sopa (guisado) de pollo con papas y arroz

Chop suey de vegetales

Valor Nutricional Ración

Ración:	1 taza (170 g)
Cantidad por ración:	
Kcal	92
Proteínas	4 g
Grasa	4 g
Carbohidratos	10 g
Intercambios aproximados:	

Lista 2=2
Lista 6=1

(8 raciones)
Cantidad obtenida: **8 tazas (1.350 g)**

Ingredientes

- 1/2 zanahoria mediana, pelada y cortada en juliana un poco gruesa, 1 taza.
- 1 pimentón, verde- rojo grande, cortado en trocitos medianos, sin venas y sin semillas, 1 1/2 taza.
- 1 cebolla mediana, cortada en trozos medianos, 1 taza.
- Lo blanco de 1 ajoporro, cortado en juliana, 1 taza.
- 2 dientes de ajo, machacados.
- 2 calabacines grandes, pelados, sin semillas, cortados a lo largo en cuatro y luego transversalmente en tajaditas, 3 tazas.
- 2 cucharadas de aceite de oliva.
- 2 cucharadas de salsa de soya.
- 1 cucharada de salsa de ostras.
- 1/16 de cucharadita de pimienta.
- 1 1/2 taza de tomate, cortado en trozos, sin piel y sin semillas.
- 1/4 de taza de consomé desgrasado de pollo o de carne.
- 1/2 cucharadita de maicena disuelta en 2 cucharadas de agua.

Preparación

1. Se pelan y se cortan los vegetales.
2. En una olla se pone el aceite a calentar. Se agregan la zanahoria, el pimentón, la cebolla, el ajoporro, el ajo y el calabacín y se cocinan hasta marchitar, unos 3 minutos.
3. Se agregan la salsa de soya, la salsa de ostras y la pimienta y se cocina unos 3 minutos más.
4. Se agregan el tomate y el consomé y se cocina unos 2 a 4 minutos más.
5. Se agrega la maicena disuelta en las dos cucharadas de agua, se pone a fuego mediano, se cocina por unos 2 minutos más y se retira del fuego.

Chop suey de vegetales

Mousse de ají dulce

(7 raciones)
Cantidad obtenida: **3 3/4 de tazas (890 g)**

Ingredientes

- 300 gramos de ajíes dulces rojos.
- 300 gramos de ajíes dulces verdes.
- 2 cucharadas de aceite de oliva.
- 60 gramos de cebolla picadita, 1/4 de taza.
- 2 dientes de ajo machacados.
- 2 tazas de consomé desgrasado de pollo.
- 6 láminas de gelatina sin color, unos 30 gramos.
- 1 cucharadita de sal.
- 1/4 de cucharadita de pimienta blanca molida.
- 1/2 taza de crema de leche ligera (light).

Preparación

1. Se eliminan las semillas y las venas a los ajíes rojos y verdes. Se ponen separadamente aparte.

2. En sartenes separadas se pone 1 cucharada de aceite en cada sartén, así como la mitad de la cebolla picadita y un diente de ajo machacado y se cocinan hasta marchitar, unos 3 minutos. Igualmente se agregan a cada sartén, respectivamente, los ajíes rojos y los verdes y se cocinan unos 8 minutos. A cada una se agrega 1 taza de consomé. Se llevan a un hervor y se retiran del fuego.

3. Separadamente, se pasa el contenido de cada sartén al envase de una licuadora y se trituran finamente, se pasa cada porción por un colador fino y a cada una, todavía caliente, se agrega, la mitad de la gelatina exprimida, que previamente se ha puesto, separadamente, en agua por unos 5 minutos. A cada porción se le revuelven las mitades de la sal, de la pimienta y de la crema de leche ligera.

4. Entretanto, se ha tenido en el congelador un molde de unos 18 x 9 x 6 cm, de unas 3 1/2 a 4 tazas de capacidad, se vierte en él la primera capa de una de las preparaciones, se mete el molde de nuevo en el congelador por unos 5 minutos, hasta endurecer un poco, sin congelar, y se procede igual y sucesivamente alternando el color en cada capa. Finalmente, se mete el molde en la nevera hasta endurecer completamente.

5. Cuando se va a servir, se introduce el molde por un segundo en agua tibia y se voltea sobre la bandeja para servir la mousse cortada en tajadas.

Nota: Se pueden utilizar moldes individuales de 1/4 de taza de capacidad como los indicados en la foto.

Mousse de ají dulce

Ensalada de tomate, cebolla y orégano

Valor Nutricional Ración	
Ración:	**1 taza (130 g)**
Cantidad por ración:	
Kcal	55
Proteínas	2 g
Grasa	3 g
Carbohidratos	5 g
Intercambios aproximados:	
Lista 2=1 Lista 6=1/2	

(9 raciones)
Cantidad obtenida: **9 tazas (1.170 g)**

Ingredientes

- 1 kilo de tomates manzanos grandes.
- 2 cebollas medianas cortadas en octavos, 2 tazas.
- 2 cucharadas de aceite de oliva.
- 1 1/2 cucharadita de sal.
- 1 cucharadita de orégano seco, molido.

Preparación

1. Se lavan bien los tomates. Se secan. Se cortan en octavos con la piel. Se les quitan las semillas.
2. Se pelan y se cortan las cebollas también en octavos. Se pasan por agua caliente y luego se lavan con agua fría.
3. En un envase se ponen el tomate y la cebolla. Se le agrega el aceite, la sal y el orégano. Se revuelve bien.

Ensalada de tomate, cebolla y orégano

Mango

Valor Nutricional Ración	
Ración:	(100 g)
Cantidad por ración:	
Kcal	60
Proteínas	-
Grasa	-
Carbohidratos	15 g
Intercambios aproximados:	
Lista 3=1	●

Mango

menús
navideños

menú

Hallaca
Ensalada verde
Pan de jamón
Dulce de lechosa

Valor Nutricional Menú	
Raciones:	
Hallaca	1 hallaca (100 g)
Ensalada verde	1 taza (90 g)
Pan de jamón	1 rebanada (76 g)
Dulce de lechosa	1/4 de taza (48 g)
Kcal	**522,5**
Proteínas	18,5 g
Grasa	20,5 g
Carbohidratos	66 g

Hallaca

Pan de jamón

Dulce de lechosa

Ensalada verde

menú ②

Hallaca
Ensalada de gallina
Dulce de lechosa

Valor Nutricional Menú

Raciones:	
Hallaca	**1 hallaca (100 g)**
Ensalada de gallina	**1/2 taza (100 g)**
Dulce de lechosa	**1/4 de taza (48 g)**

Kcal	**672**
Proteínas	23 g
Grasa	24 g
Carbohidratos	91 g

Hallaca

Ensalada de gallina

Dulce de lechosa

menú ③

Bollo de hallaca
Ensalada de gallina
Dulce de lechosa

Valor Nutricional Menú	
Raciones:	
Bollo de hallaca	**1 bollo (50 g)**
Ensalada de gallina	**1/2 taza (100 g)**
Dulce de lechosa	**1/4 de taza (48 g)**
Kcal	**535,5**
Proteínas	**8 g**
Grasa	**11, 5 g**
Carbohidratos	**100 g**

Bollo de hallaca

Ensalada de gallina

Dulce de lechosa

menú ④

Pernil de cochino horneado
Ensalada de gallina
Dulce de lechosa

Valor Nutricional Menú	
Raciones:	
Pernil de cochino horneado	(100 g)
Ensalada de gallina	1/2 taza (100 g)
Dulce de lechosa	1/4 de taza (48 g)
Kcal	593
Proteínas	30 g
Grasa	21 g
Carbohidratos	71 g

Pernil de cochino horneado

Ensalada de gallina

Dulce de lechosa

menú ⑤

Pavo horneado
Ensalada de gallina
Dulce de lechosa

Valor Nutricional Menú	
Raciones:	
Pavo horneado	100 g
Ensalada de gallina	1/2 taza (100 g)
Dulce de lechosa	1/4 de taza (48 g)
Kcal	593
Proteínas	30 g
Grasa	21 g
Carbohidratos	71 g

Pavo horneado

Ensalada de gallina

Dulce de lechosa

Hallaca

(20 hallacas de 100 g cada una)
Cada hallaca está confeccionada con 50 gramos de masa y 50 gramos de guiso.

Valor Nutricional Ración	
Ración:	**1 hallaca (100 g)**
Cantidad por ración:	
Kcal	274
Proteínas	16 g
Grasa	14 g
Carbohidratos	21 g
Intercambios aproximados:	
Lista 4=1	
Lista 5=1	
Lista 6=1	●●○

Ingredientes

para el guiso:

- 1/2 kilo de pernil de cochino con poca grasa.
- 300 gramos de pechuga de pollo.
- 1 limón.
- 8 cucharadas de aceite de oliva.
- 1 1/2 cebolla, molida gruesa, 2 tazas, unos 325 gramos.
- 1 taza, 80 gramos, de ajoporro picadito.
- 1 taza, unos 110 gramos de cebollín picaditos.
- 10 dientes de ajo pelados, triturados con
- 1/4 taza de alcaparras y 1/4 de taza de caldo donde se cocinó el pollo.
- 1/2 pimentón rojo, picadito, 2/3 de taza, unos 95 gramos.
- 2 tazas, 380 gramos, de tomate molido, sin piel y sin semillas.
- 3 ajíes dulces picaditos, 1/3 de taza, unos 50 gramos.
- 1/2 taza de encurtidos en mostaza triturados.
- 1 1/4 de taza de vino dulce.
- 1/2 taza de vinagre.
- 1/3 de taza de salsa inglesa Worcestershire.
- 125 gramos de melado de papelón.
- 1/2 cucharada de pimentón rojo seco, molido.
- 20 gotas de salsa picante.
- 1/2 cucharada de pimienta negra.
- 2 1/2 cucharadas de sal.
- 1/3 de taza de mostaza.
- 1 taza de caldo.
- 2 cucharadas de harina de maíz para cuajar el guiso.

Preparación

del guiso:

1. Se frota con limón y se enjuaga el cochino. Se pone al fuego en una olla con suficiente agua que lo cubra, se cocina el cochino unos 7 minutos hasta quedar rosado, pues se terminará de cocinar al hacer el guiso. Se saca de la olla, se deja enfriar y se corta en cubitos pequeños, aproximadamente de 1 centímetro por lado.

2. Se procede igualmente con la pechuga del pollo.

3. En una olla se ponen el aceite, la cebolla, el ajoporro, el cebollín, el ajo y las alcaparras triturada con el caldo. Se cocina hasta marchitar.

4. Se agregan el pimentón, el tomate, el ají dulce, los encurtidos, el vino, el vinagre, la salsa inglesa, el papelón, el pimentón seco, la salsa picante, la pimienta, la sal, la mostaza y el resto del caldo. Se cocina unos 10 minutos.

5. Se agrega el cochino y se cocina por unos 30 minutos. Se corrige la sazón, y si es necesario se le agrega la harina de maíz para cuajar el guiso. Se agrega el pollo y se cocina unos 25 minutos.

6. Se pone a fuego suave y se cocina brevemente hasta que el guiso espese o seque un poco.

7. Se retira la olla del fuego, se tapa con un paño no muy tupido y se deja refrescar en lugar fresco hasta el día siguiente.

Ingredientes

para la masa:

- 1/4 de taza de aceite de oliva.
- 3 cucharadas de semillas de onoto.
- 2 1/2 kilos de Masa de Maíz.
- 1 taza de caldo de pollo o de gallina.
- 3 cucharaditas de sal.

para los adornos del relleno de las hallacas:

- 2 latas de pimentones morrones cortados en tiritas.
- 1/2 taza, 100 gramos de almendras peladas, 1 por hallaca.
- 200 gramos de cebollas más bien pequeñas cortadas en ruedas delgadas.
- 1/4 de taza de alcaparras pequeñas, 4 por hallaca.
- 1 tazas, 180 gramos, de aceitunas medianas, 1 por hallaca.
- 1/4 de taza, 1 caja de 150 gramos, de pasas sin semillas, 2 por hallaca.

Todos los adornos pueden alistarse la víspera y guardarlos separadamente en la nevera.

Preparación

de la masa:

8. En una olla pequeña se calienta muy ligeramente el aceite, apenas unos segundos, con las semillas de onoto hasta que el aceite adquiera color amarillo fuerte. Se retira del fuego.

9. Sobre una mesa se amasa la masa suficientemente con el aceite coloreado, el caldo y la sal hasta tener un color uniforme.

de los adornos del relleno de las hallacas:

10. Se blanquean en agua caliente las almendras. Todavía calientes se les quita la piel.

11. Las alcaparras y aceitunas se escurren. Las pasas se limpian y se les quita cualquier impureza que puedan tener. Los encurtidos se escurren y se cortan en pedacitos. Todos los adornos se ponen separados, aparte.

Hallaca

Ingredientes

para las hojas y preparación de las hallacas:

- 2 kilos de hojas de plátano para hallacas.
- Pabilo para amarrar las hallacas.
- Agua y sal para cocinarlas.

Preparación

de las hojas y de las hallacas:

13. En agua corriente se lavan muy bien las hojas y se secan bien. Se clasifican en grupos de acuerdo al tamaño. Parte para ser engrasadas y donde se pondrá la masa. Otras que servirán de envoltura o camisa a la hallaca ya llena y doblada y otras para ser usadas finalmente como fajas.

14. Las hojas deben engrasarse antes de extenderles la masa, para ello se usa manteca coloreada con onoto. Con un pañito que se moja en la manteca se untan ligeramente las hojas por su parte menos lisa o donde tienen los nervios más visibles y pronunciados.

15. Se hacen bolitas de masa de 40 gramos cada una. Cada una de las cuales debe extenderse en el centro de la hoja previamente engrasada, en forma de círculo hasta tener un espesor no mayor de 2 milímetros. Se coloca la hoja sobre un plato llano y con una cuchara grande se depositan en el centro del círculo 50 gramos del guiso.

16. Se colocan los adornos y se cierra la hallaca uniendo los dos extremos sobrantes y doblando la hoja hasta que quede suficientemente apretada. Se doblan los extremos laterales sobre la hallaca ya llena. Se cubre con la camisa, luego se le pone transversalmente la faja y se amarra con el pabilo, dándole 3 vueltas en los dos sentidos. Se ponen aparte y cuando haya suficientes hallacas, se pone en una olla con suficiente cantidad de agua y al hervir, se agregan cuidadosamente las hallacas que deben quedar completamente cubiertas con el agua. Se lleva a un hervor y se cocinan a fuego fuerte por unos 30 minutos.

17. Con una espumadera se sacan una a una y se colocan inclinadas sobre una mesa, preferiblemente también inclinada, a escurrir. Se dejan enfriar completamente a temperatura ambiente. Se meten luego en la nevera y allí se conservan hasta que se vayan a consumir.

18. Cuando se van a consumir se calientan en agua hirviendo por 25 minutos a partir de que comiencen de nuevo a hervir.

Hallaca servida

Bollos de hallaca

Valor Nutricional Ración	
Ración:	1 bollo (50 g)
Cantidad por ración:	
Kcal	137,5
Proteínas	1 g
Grasa	1,5 g
Carbohidratos	30 g
Intercambios aproximados:	
Lista 4=2	●●

(14 bollos)
Cantidad obtenida: **14 bollos**

Ingredientes

para la masa:

- 400 gramos de Masa de Maíz.
- 350 gramos de guiso de hallaca.
- 1/2 taza de cebolla picadita.
- 1/2 taza de pimentón picadito.
- 2 cucharadas de pasas.
- 4 cucharadas de aceitunas picaditas.
- 2 cucharadas de alcaparras.
- 3 cucharadas de almendras.
- 2 cucharadas de encurtidos en mostaza.
- 1 cucharada de Salsa Inglesa Worcestershire.

para las hojas y los bollos:

- 1 1/2 kilo de hojas de plátano.
- Pabilo para amarrar los bollos.
- Agua y sal para cocinarlos.

Preparación

de la masa:

1. Se mezclan muy bien el guiso, la masa y los adornos picaditos, corrigiendo la sazón si fuera necesario, que debe ser muy fuerte. La mezcla debe quedar manejable y blanda pero no aguada. Se pone aparte en una bandeja hasta el momento del llenado de los bollos.

de las hojas y los bollos:

2. Se lavan muy bien y se secan las hojas

3. Se pican y clasifican las hojas en dos grupos, unos de 25 x 25 centímetros que se usarán para el llenado de los bollos, otro grupo para ser usadas como fajas de unos 10 a 15 centímetros de ancho por el largo que da transversalmente la hoja, es decir, para la envoltura final de los bollos antes de amarrarlos.

4. Para llenar los bollos se pone la hoja, sin engrasar, sobre un plato llano de modo de formar una depresión o hueco poco profundo que se llena con un cucharón pequeño, 50 g de la mezcla. Se doblan las hojas hacia arriba y se emparejan los bordes, se doblan juntas para cerrarlas y nuevamente se doblan sobre el relleno, de manera de mantener el relleno suficientemente apretado. Se doblan luego los lados hacia abajo. Si se rompe la hoja se envuelve nuevamente con otra hoja. Se envuelve el bollo con una tapa, se aprieta con cuidado y se amarra con pabilo cruzándolo 3 veces en dos direcciones. Se debe terminar siempre en el centro.

5. Se colocan en una olla grande con suficiente agua hirviendo con sal, de manera que queden cubierto. Se les ponen encima unos pedazos de hoja, se lleva nuevamente a un hervor y se cocinan tapados durante 1/2 hora de hervor.

6. Con una espumadera se sacan del agua y se ponen inclinados para que escurran bien. Se dejan enfriar completamente y se meten en la nevera, donde se pueden conservar hasta por 3 semanas. Se recomienda esperar 1 a 2 días para servirlos y así el sabor puede concentrarse bien. Cuando se van a servir se calientan previamente.

Bollo

Bollo servido

Ensalada de gallina

Valor Nutricional Ración	
Ración:	1/2 taza (100 g)
Cantidad por ración:	
Kcal	298
Proteínas	7 g
Grasa	10 g
Carbohidratos	45 g
Intercambios aproximados:	
Lista 4=3	
Lista 5=1	●●●●○
Lista 6=1	

Ingredientes

- 1/2 kilo de papas.
- 3 manzanas amarillas.
- 1 zanahoria, 125 gramos.
- 1/2 gallina cocinada con sal.
- 200 gramos de espárragos, unos 12 espárragos envasados.

para la vinagreta:

- 1 cebolla pequeña, picadita finamente.
- 1/2 cucharadita de pimienta.
- 2 1/2 cucharadas de mostaza.
- 2 cucharaditas de sal.
- 4 cucharadas de vinagre.
- 3 cucharadas de salsa inglesa Worcestershire.
- 5 gotas de salsa picante.
- 3 cucharadas de aceite de oliva.

Preparación

1. En una olla a presión se ponen la gallina, el agua y la sal. Se lleva a un hervor y se cocina por 1/2 hora. Se retira del fuego, se deja enfriar la olla para abrirla, se saca la gallina y se pone a enfriar aparte.

2. En una olla aparte se ponen las papas en trocitos con las 4 tazas de agua y las 2 cucharaditas de sal. Se lleva a un hervor y se cocinan por 5 a 10 minutos hasta que ablanden pero que queden aún firmes. Se escurren y ponen aparte.

3. En otra olla se ponen la zanahorias con 2 tazas de agua y la cucharadita de sal. Se lleva a un hervor y se cocina por 25 minutos o hasta que ablande. Se escurren y ponen aparte.

4. Entretanto, se le quita la piel a la gallina. La piel se desecha. Se desmenuza la carne en pedacitos pequeños y se pone aparte.

5. En un envase grande y con una cucharada de madera se mezclan la gallina, las papas, la zanahoria, los espárragos en pedacitos y la manzana.

6. En un frasco o en una trituradora se baten vigorosamente los ingredientes de la vinagreta hasta emulsionarlos bien y se le revuelve a la ensalada muy suavemente hasta que quede todo muy bien mezclado.

7. Se coloca la ensalada en una ensaladera, se alisa por encima y, si se desea, se adorna con los espárragos enteros.

8. Se mete en la nevera por lo menos 2 horas. Se sirve fría.

Ensalada de gallina

Pernil de cochino horneado

Valor Nutricional Ración	
Ración:	(100 g)
Cantidad por ración:	
Kcal	195
Proteínas	23 g
Grasa	11 g
Carbohidratos	1 g
Intercambios aproximados:	
Lista 5=3	●●●

Ingredientes

- 1 pernil de cochino de unos 6 kilos.
- 1 limón.
- 2 cucharaditas de sal.

para el adobo:

- 1/2 kilo de cebolla triturada.
- 17 dientes de ajo machacados.
- 1/2 taza de aceite de oliva.
- 2 cucharadas de salsa inglesa Worcestershire.
- 7 cucharaditas de sal.
- 1 1/2 cucharadita de pimienta negra.
- 1/4 de taza de vinagre de vino.
- 2 cucharaditas de orégano fresco o 1 cucharadita sí es seco, molido.
- 1 ramita de tomillo.
- 1 hoja de laurel.
- 2 taza de jugo de naranja, preferiblemente amarga.

para la salsa:

- 1/2 taza de vino dulce Moscatel o Madeira.
- 1/4 de cucharadita de pimienta negra.
- 1 cucharadita de salsa inglesa Worcestershire
- 1 cucharada de harina (opcional).

Preparación

1. Un día antes de hornear el pernil, se mezclan los ingredientes del adobo en un envase, y se pone aparte.

2. Se le quita el exceso de grasa al cochino. Se frota con el limón. Se lava, se seca y se frota con las 2 cucharaditas de sal. Se frota luego con el adobo. Se deja en un envase grande en la nevera hasta el día siguiente, volteándolo y bañándolo con el adobo de vez en cuando. El pernil debe sacarse la nevera 1/2 hora antes de hornearlo, en horno precalentado a 400º F.

3. Se pone el pernil en una bandeja grande para hornear con el adobo y cubierto con papel de aluminio. Se mete en el horno precalentado y se hornea alrededor de 40 minutos por kilo o hasta que la carne desprenda del hueso.

4. Se sube la temperatura a 450º F. Se le quita el papel y se continúa horneando, bañándolo con su salsa y dándole vuelta de vez en cuando hasta dorar uniformemente, por 60 minutos, unos 10 minutos más por kilo.

5. Se saca la bandeja del horno, se saca el pernil y se pone aparte.

6. Se elimina el exceso de grasa de la bandeja con una cuchara y pasándole papel absorbente por encima, se pone ésta sobre la hornilla a fuego medio, raspando las partículas adheridas al fondo de la bandeja. Se cocina la salsa revolviendo y agregándole el vino, la pimienta, la salsa inglesa y la harina, sí se quiere espesar. Se corrige la sazón sí es necesario. Se cuela la salsa, apretando los sólidos contra las paredes de un colador con cuchara de madera, sin triturarla. Se lleva a un hervor y se sirve caliente acompañando al cochino, que ha sido cortado en tajadas delgadas y espolvoreado con sal. El pernil se debe dejar reposar 2 horas antes de cortarlo.

Pernil de cochino horneado

Pavo horneado

Valor Nutricional Ración	
Ración:	(100 g)
Cantidad por ración:	
Kcal	195
Proteínas	23 g
Grasa	11 g
Carbohidratos	1 g
Intercambios aproximados:	
Lista 5=3	●●●

Ingredientes

- 1 pavo de 7 kilos.
- 2 ó 3 limones.
- 1/2 kilo de cebolla, unas 2 tazas, licuada.
- 1/4 de taza de vinagre.
- 2 cucharadas de aceite de oliva.
- 12 dientes de ajo.
- Lo blanco de 4 cebollines, 1 taza, picadito.
- Lo blanco de 1 ajoporro grande, 1 taza, picadito.
- 2 hojas de laurel.
- 3 cucharadas de sal.
- 2 cucharadas de salsa inglesa Worcestershire.
- 1 cucharadita de pimienta.
- 2 ramitas de tomillo o 1/4 de cucharadita sí es seco, molido.
- 1 ramita de perejil.
- 1 taza de vino blanco, seco.
- 1 cucharada de Cognac.
- La pulpa en pedacitos de 2 manzanas peladas y sin el corazón y las semillas.
- 1/2 taza de agua.
- 1 cucharadita de azúcar.
- 1/8 de cucharadita de pimienta.

Preparación

1. Se limpia y se lava muy bien el pavo eliminando el exceso de grasa. Se pone aparte junto con el pescuezo.

2. Se prepara un adobo triturando la cebolla, el vinagre, el aceite y los ajos y se mezcla en un envase. Se les agregan el cebollín, el ajoporro, el laurel, la sal, la salsa inglesa, la pimienta, el tomillo, la salvia, el perejil, el vino y el Cognac. Con el adobo se frota el pavo por dentro y por fuera. Se deja en la nevera hasta que se vaya a hornear, por unas 3 ó 4 horas, dándole vuelta de vez en cuando.

3. Se precalienta el horno a 450° F.

4. Se amarran las alas y las patas del pavo de modo que queden pegadas al cuerpo del pavo. Se tapa con papel de aluminio, se mete el envase en el horno y se hornea por 1 1/2 hora, hasta dorar. Se saca el envase del horno, se voltea el pavo y, sin cubrir, se hornea por 30 minutos más, hasta dorar. Se repite la operación tantas veces como para que dore por todos sus lados, sin cubrir, por unos 30 minutos cada vez hasta dorar. En total unas 3 a 3 1/2 horas, bañándolo cada vez, con la salsa que hay en el recipiente.

5. Se saca el envase del horno, se saca el pavo del envase, se pone aparte cubierto con papel de aluminio y se procede a preparar la salsa.

de la salsa:

6. Se eliminan el pescuezo y las hierbas del envase y también la grasa con una cuchara, pasándole papel absorbente por encima.

7. Se cuela la salsa a través de un colador de alambre, apretando los sólidos contra las paredes del colador.

8. En una olla se cocinan las manzanas con el agua por unos 10 minutos. Se pasan las manzanas con el líquido a una trituradora, se tritura bien y se agrega a la olla con la salsa. Se agregan el azúcar y la pimienta para rectificar la sazón, se lleva a un hervor y se cocina por unos 3 minutos. La salsa se sirve al lado.

Pavo horneado

Pan de jamón

Valor Nutricional Ración	
Ración:	1 rebanada (76 g)
Cantidad por ración:	
Kcal	90,5
Proteínas	2 g
Grasa	2,5 g
Carbohidratos	15 g
Intercambios aproximados:	
Lista 4=1	
Lista 5=1/4	

No se incluye la receta del Pan de Jamón, pues en época navideña todas las panaderías lo hacen y es costumbre comprarlo en la panadería prefererida de cada familia. Si se quiere hacerlo en casa, se recomiendan las recetas en los libros del mismo autor **"Mi Cocina, a la manera de Caracas"**, (cubiertas roja y azul); la receta del primero, es a base de pasta brioche y es más laboriosa que las recetas del segundo, que son de pasta corriente de pan.

Pan de jamón

Ensalada verde

Valor Nutricional Ración

Ración:	1 taza (90 g)

Cantidad por ración:

Kcal	53,5
Proteínas	0,5 g
Grasa	3,5 g
Carbohidratos	5 g

Intercambios aproximados:

Lista 2=1
Lista 6=3/4

(6 raciones)
Cantidad obtenida: **(540 g)**

Ingredientes

para la ensalada:

- Unos 125 gramos de escarola.
- Unos 125 gramos de lechuga romana.
- Unos 125 gramos de hojas de berro.

para la vinagreta:

- 2 cucharadas de aceite de oliva.
- 2 cucharadas de vinagre.
- 4 cucharadas de agua.
- 1/2 cucharadita de mostaza.
- 1/2 cucharadita de sal.
- 1/8 de cucharadita de pimienta negra, molida.

Preparación

de la ensalada:

1. Se cortan y se lavan bien las hojas, se escurren y se ponen en una ensaladera.

de la vinagreta:

2. Se mezclan los ingredientes de la vinagreta en un envase, se bate bien hasta emulsionar y se añade a las hojas de la ensalada.

Ensalada verde

Dulce de lechosa

Nota: Servir 1/4 de taza sin almíbar.

Valor Nutricional Ración	
Ración:	1/4 de taza (48 g)
Cantidad por ración:	
Kcal	100
Proteínas	-
Grasa	-
Carbohidratos	25 g
Intercambios aproximados:	
Lista 3=2	●●

Ingredientes

- 2 kilos de lechosa muy verde, pelada, sin semillas y cortada en tajadas muy delgadas, de 1 a 1/2 centímetro de espesor por 12 centímetros de largo.
- 12 tazas de agua.
- 2 cucharadas de bicarbonato de sodio.
- 15 tazas de agua.
- 1 1/2 kilo de papelón.
- 1/2 kilo de azúcar.
- 20 clavos de especia.

Preparación

1. En una olla grande al fuego, se pone la lechosa con agua que la cubra y el bicarbonato. Se lleva a un hervor y se cocina a fuego fuerte tapado por unos 3 minutos. Se cuela, se enjuaga muy bien con agua fría y se pone aparte.

2. En una olla grande al fuego se ponen las 15 tazas de agua con el papelón y el azúcar. Se lleva a un hervor y se cocina por 15 minutos. Se pasa a un envase, se lava la olla y en ella se cuela el líquido a través de un colador de tela, como para colar café. Se vuelve el líquido a la olla limpia. Se agregan de nuevo la lechosa, los clavos y, si se tienen las hojas de higo. Se lleva a un hervor y se cocina destapado por 1 1/2 hora hasta que espese el almíbar, pero no demasiado, que las gotas caigan lentamente de una cuchara de madera formando una pequeña hebra. La lechosa debe quedar brillante. Se retira del fuego, se eliminan los clavos y se conservan en la nevera, después de enfriar, hasta por 2 meses.

Dulce de lechosa

desayunos

Un aspecto muy tenido en cuenta en la conformación de los Menús contenidos en este libro, ha sido que, además de que sean nutricionalmente equilibrados, adecuados y apetitosos, fueran variados, también, muy importante para una buena alimentación. Se ha querido dejar de lado la monotonía, una característica de las dietas y nuestro objetivo no es establecer una dieta, sino una manera adecuada de comer para personas con diabetes y sus familias, siempre atentos al placer de comer.

El desayuno es una comida de vital importancia, especialmente para la persona con diabetes, pero es quizás la que más se descuida, y en la que de hecho, está presente la monotonía. Es consecuencia del poco tiempo disponible para su preparación, debido por una parte a la necesidad de sueño reparador y por otra parte a las obligaciones laborales y a las que impone la familia, y como consecuencia se recurre a lo fácil, lo de preparación rápida y poco variado, descuidando su importancia nutricional y necesidades calóricas de la persona con diabetes.

Se incluyen algunas recetas adaptadas a las necesidades de una persona con diabetes y en cada caso la ración permitida de acuerdo a los grupos o listas de alimento, para que con la ayuda del médico tratante y el médico nutricionista se puedan conformar desayunos adecuados.

Algunos de los alimentos sugeridos deben ser consumidos inmediatamente después de su preparación. Algunos son más fáciles que otros y de rápida preparación. Otros son más laboriosos pero pueden conservarse en la nevera por varios días, por lo que es posible prepararlas con anticipación cuando se disponga de tiempo para ello. En todo caso, se podrá disponer de una herramienta para que, de acuerdo con el médico y nutricionista, se pueda tener siempre un desayuno deseable y adecuado.

Arepa

Ingredientes

• 200 gramos de masa de maíz con sal.

Preparación

1. Se divide la masa en bolitas de unos 50 gramos. Se forman las arepas aplastando las bolitas hasta obtener piezas circulares de unos 6 centímetros de diámetro.

2. Se precalienta el horno a 350º F.

3. Se colocan las arepas sobre un budare previamente caliente y engrasado, hasta que se les forme costra. Se les da vuelta y se repite el proceso.

4. Se pasan las arepas al horno precalentado, colocándolas directamente sobre la parrilla. Se voltean a los 15 minutos, y se hornean unos 5 minutos más. Se prueba si ya están, golpeándolas con la mano, deben producir un sonido hueco, de estar cocidas y un poco abombadas.

Nota: Son arepas no muy gruesas de unos 6 centímetros de diámetro y 50 gramos de peso. Si se le elimina la masa interior y se come sólo la corteza, el peso de ésta es de sólo 25 gramos, lo que permite comer dos arepas sin la masa interior, y que pueden rellenarse cada una con 1/2 cucharadita de mayonesa o mantequilla y una tajada de queso blanco de 10 gramos, para obtener un total de 20 gramos de queso blanco. Eso puede hacerse también la noche anterior, envolver las arepas en un paño seco, dejarlas en lugar fresco y calentarlas en horno o microondas a la hora de desayunar hasta que el queso se derrita un poco.

Valor Nutricional Ración	
Ración:	(50 g)
Cantidad por ración:	
Kcal	80
Proteínas	2 g
Grasa	-
Carbohidratos	15 g
Intercambios aproximados:	
Lista 4=1	●

Avena

Ingredientes:

• 1 taza de leche descremada.

• 1 rajita de canela.

• 2 cucharadas rasas de avena en hojuelas.

• 1 pizca de sal.

• Edulcorante.

Preparación:

1. En una olla mediana al fuego se ponen la leche y la rajita de canela a hervir ligeramente, para transmitirle el sabor de la canela.

2. Se le agregan las 2 cucharadas de hojuelas de avena y la pizca de sal y sin dejar de revolver, se cocina a fuego suave hasta que se obtenga una consistencia espesa.

   Al servir se le agrega el edulcorante.

Valor Nutricional Ración	
Ración:	1 taza
Cantidad por ración:	
Kcal	193
Proteínas	10 g
Grasa	5 g
Carbohidratos	27 g
Intercambios aproximados:	
Lista 1=1	
Lista 4=1	●●

Bizcochuelo

Véase receta en la página 65.

Valor Nutricional Ración	
Ración:	(30 g)
Cantidad por ración:	
Kcal	98
Proteínas	2 g
Grasa	2 g
Carbohidratos	18 g
Intercambios aproximados:	
Lista 4=1	
Lista 6=1/2	

Cachapa de budare

Ingredientes:

- 4 tazas de granos de maíz tierno, unos 6 a 8 jojotos grandes, unas 3 tazas ya molidos los granos.
- 1/2 cucharadita de sal.
- 3/4 de taza de azúcar (1 cucharada de azúcar por cada taza de jojoto molido.
- Agua, dependiendo de que el maíz esté más o menos tierno.

Preparación:

1. Se cortan con un cuchillo los granos de los jojotos, sin llegar muy profundamente, para evitar cortar la tusa.
2. Se muelen o trituran los granos. La masa debe quedar un poco gruesa y ordinaria.
3. En un envase grande se mezcla esa masa con la sal, el agua y el azúcar. La mezcla debe tener consistencia espesa.
4. Se pone a calentar un budare o una sartén a fuego mediano. Se engrasa con aceite y para hacer las cachapas se vierte cada vez en el budare 50 gramos de la mezcla extendiéndola un poco con el cucharón.
5. Al formarse burbujitas en toda la superficie, se voltean con una espátula para cocinarlas por el otro lado hasta dorar. Aproximadamente 1 minuto por cada lado. Se sirven calientes. Pueden guardarse después de enfriar, en la nevera 3 ó 4 por días y recalentarlas en sartén antiadherente a la hora de servirlas.

Nota: Si los jojotos son algo dulces, puede disminuirse o eliminar por completo el azúcar.

Valor Nutricional Ración	
Ración:	1 unidad (50 g)
Cantidad por ración:	
Kcal	72
Proteínas	3 g
Grasa	-
Carbohidratos	15 g
Intercambios aproximados:	
Lista 4=1	

Cachapas de hoja

Ingredientes:

- 4 tazas de granos de maíz tierno, unos 6 a 8 jojotos grandes, unas 3 tazas ya molidos los granos.
- 1/2 cucharadita de sal.
- 3/4 de taza de azúcar (1 cucharada de azúcar por cada taza de jojoto molido).
- 10 tazas de agua y 2 cucharaditas de sal, para cocinar las cachapas.

Preparación:

1. Se pelan los jojotos, eliminando las hojas maltratadas, conservando las hojas interiores limpias y sin lavarlas o mojarlas. Se cortan con un cuchillo los granos a los jojotos y se muelen o trituran.

2. En un envase grande, se mezclan con cuchara de madera los granos de jojoto molidos, la sal y el azúcar. Se le agrega el agua que sea necesaria, hasta tener consistencia gruesa. Si los jojotos son muy tiernos, se necesitará menos agua.

3. En una olla grande se ponen a hervir el agua con la sal, para cocinar las cachapas al estar listas. En el fondo de la olla deben colocarse algunas hojas de jojoto formando una capa, para ayudar a mantener verticalmente las cachapas mientras se cocinan.

4. Se enrolla una hoja de jojoto, dejando en la parte superior un hueco de unos 5 centímetros de diámetro y se dobla más o menos por la mitad hacia arriba para cerrar la extremidad inferior y hacer un recipiente. Se llena con 50 gramos de la masa, con un cucharón pequeño y se tapa con otra hoja en sentido inverso, igualmente enrollada y doblada. Se amarra por la mitad con una tira delgada sacada de las mismas hojas, apretando bien de manera de darle forma de ocho a la cachapa. A tal efecto se corta a lo largo de la hoja una tira de 1 a 2 centímetros de ancho. Se le hace un nudo en uno de los extremos y comenzando por el otro extremo, se parte de nuevo la tira longitudinalmente hasta llegar al nudo y se estira para tener una tira de longitud más larga y suficiente.

5. Una vez llenas y amarradas, se meten verticalmente en la olla con el agua hirviendo. Se lleva nuevamente a un hervor y se cocinan unos 45 minutos o hasta que endurezcan. Se sabe que están a punto sacándolas del agua y golpeándolas con los dedos. Debe sonar como una caja vacía, igual que las arepas cuando están listas. Se sacan del agua y se escurren.

6. Pueden comerse inmediatamente o pueden guardarse una vez frías en la nevera hasta por 3 ó 4 días. Para calentarlas nuevamente, se pone en una olla a hervir suficiente agua con sal y se hierven durante 30 minutos.

Nota: Si los jojotos son algo dulces, puede disminuirse o eliminar por completo el azúcar.

Valor Nutricional Ración		
Ración:	1 unidad (50 g)	
Cantidad por ración:		
Kcal		72
Proteínas		3 g
Grasa		-
Carbohidratos		15 g
Intercambios aproximados:		
Lista 4=1		●

Café negro

- A pesar de que el café no tiene aporte calórico, recuerde consumirlo con moderación.

Café con leche

Ingredientes:

- 1 taza de leche descremada, 240 cc.
- Café negro al gusto.

Valor Nutricional Ración	
Ración:	1 taza (240 cc)
Cantidad por ración:	
Kcal	125
Proteínas	8 g
Grasa	5 g
Carbohidratos	12 g
Intercambios aproximados:	
Lista 1=1	●

Recuerde: Al consumir café con leche, tomar en cuenta su aporte de carbohidratos.

Caraotas negras fritas

Ingredientes:

- 1 cucharada de aceite de oliva.
- 1/2 taza de cebolla picadita.
- 2 tazas de sopa de caraotas preparada según receta en página 69.

Preparación:

1. En una sartén se calienta el aceite, se agrega la cebolla y se fríe hasta que esté bien dorada, unos 8 minutos. Se agregan las caraotas y revolviendo, se continúa cocinando unos 2 ó 3 minutos. Se fríe a fuego medio unos 10 a 15 minutos más o hasta que sequen un poco, pero que estén todavía jugosas.

Nota: Es mejor que la sopa de caraotas sea preparada el dia anterior o antes.
Nota: Eventualmente se puede endulzar con edulcorante, despues de fritas.

Valor Nutricional Ración	
Ración:	1/2 taza
Cantidad por ración:	
Kcal	139,5
Proteínas	3 g
Grasa	7,5 g
Carbohidratos	15 g
Intercambios aproximados:	
Lista 4=1	●◐
Lista 6=1 1/2	

Carne mechada

Ingredientes:

- 1 kilo de falda o lagarto la reina, de res.
- 2 cucharadas de aceite de oliva.
- 1 cucharada de salsa inglesa Worcestershire.
- 3/4 de taza de cebolla rallada.
- 2 dientes de ajo machacados.
- 3 cucharaditas de sal.
- 1/2 cucharadita de pimienta negra.
- 1/4 de cucharadita de comino molido.
- 1/2 taza de aceite de oliva (8 cucharadas).
- 2 tazas de cebolla picadita.
- 1/2 taza de pimentón rojo picadito, sin venas y sin semillas.
- 2 tazas de tomate picadito, sin piel y sin semillas.
- 1 cucharadita de sal.
- 1/4 de cucharadita de pimienta negra.
- 1/4 de cucharadita de salsa inglesa Worcestershire.
- 2 cucharadas de salsa de tomate ketchup.

Valor Nutricional Ración	
Ración:	(60 g)
Cantidad por ración:	
Kcal	190
Proteínas	14 g
Grasa	14 g
Carbohidratos	2 g
Intercambios aproximados:	
Lista 5=2	●●

Preparación:

1. Se limpia la carne haciéndole cortes transversales y sucesivos, para abrirla como un libro abierto y de unos 2 centímetros de espesor.

2. Se prepara un adobo mezclando las cucharadas de aceite, la de salsa inglesa, la cebolla rallada, el ajo, la sal, 1/2 cucharadita de pimienta y el comino y con esa mezcla se frota bien la carne. Se deja adobar por 1/2 hora.

3. Se precalienta el asador o broiler o se calienta un budare.

4. Se limpia la carne del adobo que se pone aparte y se pone sobre una bandeja de metal para hornear, se mete en el horno unos 10 a 12 minutos por lado o se fríe en el budare con muy poca grasa hasta dorar por ambos lados, unos 7 minutos por lado.

5. Se deja enfriar la carne y con un mazo se golpea hasta dejarla de 1 centímetro de espesor.

6. Se divide en hebras o se corta en pedacitos de 1 centímetro por lado, se obtienen unas 4 tazas de carne mechada.

7. Entretanto, en un caldero se pone 1/2 taza de aceite a calentar, se agrega la cebolla y se cocina hasta marchitar, unos 3 a 4 minutos. Se agregan el pimentón y el tomate, se cocina unos 5 minutos y se agregan la sal, la pimienta y la salsa inglesa restantes, la salsa ketchup y el adobo que se tenía aparte. Se cocina 4 a 5 minutos.

8. Se agrega la carne, se cocina unos 3 minutos, se pone a fuego lento y se cocina revolviendo de vez en cuando, hasta que seque un poco pero todavía húmeda, unos 10 a 15 minutos más.

Cereal en hojuelas

• Se puede endulzar con edulcorante.

Valor Nutricional Ración	
Ración:	1/2 taza de cereal + 1/2 taza de leche
Cantidad por ración:	
Kcal	169
Proteínas	10 g
Grasa	5 g
Carbohidratos	21 g
Intercambios aproximados:	
Lista 1=1/2 Lista 4=1	◖●

Hallaquitas

Ingredientes para la masa básica:

• 2 tazas o 400 gramos de Masa muy finamente molida.
• Las hojas secas de 3 ó 4 mazorcas de maíz.
• Agua y sal.
• 1/3 de taza de queso blanco duro rallado.
• 2 cucharadas de aceite de oliva.

Preparación de las hallaquitas:

1. Se separan las hojas. Se lavan y se ponen a remojar en un envase con agua por 1/2 a 1 hora, o se hierven unos 5 minutos para que sean más fáciles de manipular.

2. Sobre una bandeja grande se mezclan progresivamente todos los ingredientes y se amasa hasta obtener una masa compacta y brillante.

3. Se escurren y sacuden las hojas remojadas y una a una se llenan con 50 gramos de masa. Se amarran en el extremo y en la mitad en forma de ocho.

4. Se pasan a una olla con agua hirviendo con sal y se cocinan unos 40 minutos o hasta que al golpearlas suenen como caja vacía.

5. Se sacan las hallaquitas de la olla y se ponen a escurrir verticalmente sobre una mesa o bandeja por unos 3 a 4 minutos. Para servirlas se les eliminan las hojas y se sirven calientes. También después de enfriarse pueden conservarse en la nevera por 3 ó 4 días y cuando se vayan a servir se calientan de nuevo en agua caliente por 20 a 30 minutos.

Valor Nutricional Ración	
Ración:	1 unidad (50 g)
Cantidad por ración:	
Kcal	86
Proteínas	2 g
Grasa	2 g
Carbohidratos	15 g
Intercambios aproximados:	
Lista 4=1	●

Huevos revueltos

Preparación:

Romper el huevo sobre una sartén o plancha ligeramente engrasadas, agregarle sal y pimienta y revolverlos con una espátula en el sartén hasta endurecer y formar grumos.

Valor Nutricional Ración	
Ración:	1 unidad
Cantidad por ración:	
Kcal	95,5
Proteínas	7 g
Grasa	7,5 g
Carbohidratos	-
Intercambios aproximados:	
Lista 5=1	
Lista 6=1/2	

Perico

Preparación:

Freír cebolla picadita en aceite de oliva hasta marchitar, unos 4 minutos. Agregar 1 tomate picadito, agregar sal y pimienta y cocinar hasta secar, unos 5 a 7 minutos, agregar el huevo ligeramente batido, y revolviendo cocinar hasta endurecer y formar grumos.

Valor Nutricional Ración	
Ración:	1/2 taza. Preparar con 3 o 4 claras y 1 yema
Cantidad por ración:	
Kcal	111
Proteínas	14 g
Grasa	5 g
Carbohidratos	2,5 g
Intercambios aproximados:	
Lista 2=1/2	
Lista 5=2	
Lista 6=1	

Nota: En cualquier forma deben estar cocidos hasta estar firmes, sin líquido remanente aparente, (75° C).

Tortillas

Ingredientes:

- 4 claras.
- Sal.
- Pimienta.
- Aceite de oliva para engrasar la sartén.

Preparación:

1. Se bate ligeramente el huevo con la sal y la pimienta y se deja aparte.
2. En una sartén de 26 centímetros de diámetro por 5 centímetros de alto se pone el aceite a calentar a fuego suave. Opcionalmente se le puede agregar hierbas, cebollín, acelga, espinaca, etc. Se vierte la mezcla en la sartén. Se cocina a fuego suave sin revolver ni voltear por 5 minutos o hasta que esté casi seca por encima. Se voltea la tortilla usando la tapa de una olla y se vuelve a la sartén para freírla por el otro lado unos 2 minutos. Se puede servir caliente o fría.

Valor Nutricional Ración	
Ración:	1/4 de tortilla (80 g)
Cantidad por ración:	
Kcal	92
Proteínas	14 g
Grasa	4 g
Carbohidratos	-
Intercambios aproximados:	
Lista 5=2	
Lista 6=3/4	

Revoltillo de carne de res

Ingredientes:

- 2 cucharadas de aceite.
- 1 1/2 taza de cebolla picadita.
- 1 taza de tomate picadito, sin piel y sin semillas.
- 3/4 de kilo de carne de res (ganso, lomito, pulpa, falda, etc.), desmechada.
- 1 cucharadita de salsa inglesa Worcestershire.
- 1/2 cucharadita de sal.
- 1/8 de cucharadita de comino.
- 10 huevos ligeramente batidos.

Valor Nutricional Ración	
Ración:	1/3 de taza (60 g)
Cantidad por ración:	
Kcal	210
Proteínas	14 g
Grasa	16 g
Carbohidratos	2,5 g
Intercambios aproximados:	
Lista 2=1/2	
Lista 5=2	
Lista 6=1/2	

Preparación:

1. En un caldero o sartén grande se prepara un sofrito con el aceite, la cebolla y el tomate. Se agregan la carne y los demás ingredientes menos los huevos y se cocina revolviendo de vez en cuando hasta que seque, unos 25 a 30 minutos.
2. Se baten los huevos ligeramente, se agregan al caldero y se continúa cocinando revolviendo y raspando el fondo de la sartén, hasta secar, unos 10 a 15 minutos más.

Nota: Este plato se prepara generalmente con carne que ha sobrado de la Sopa, de Rosbif o de otra preparación de carne ya cocida.

Panquecas

Ingredientes:

- 3 huevos.
- 3/4 de cucharadita de sal.
- 2 cucharadas de azúcar.
- 3 cucharadas de mantequilla derretida.
- 1 1/2 taza de leche descremada.
- 1 1/2 taza de harina.
- 1 1/2 cucharada de polvo de hornear; mantequilla.
- Miel de abejas o almíbar de arce, "maple syrup".

Nota: Si se quieren bien delgadas, como "crêpes", se agrega 1 taza más de leche.

Preparación:

1. En un envase grande se baten ligeramente los huevos con batidor de alambre. Se les mezclan la sal, el azúcar, la mantequilla y la leche. Se revuelve.

2. Se agrega al envase la harina cernida conjuntamente con el polvo de hornear y se revuelven con batidor de alambre sólo lo necesario para mezclar.

3. Sobre una hornilla se pone un budare o una sartén a calentar, pero no demasiado. Se engrasa ligeramente, cada vez, usando un papel absorbente con mantequilla y se vierte alrededor de 1/4 de taza de la mezcla, extendiéndola, si es necesario, para hacer las panquecas de unos 12 centímetros de diámetro. Se cocinan hasta aparecer burbujas en toda su superficie se voltean con una espátula para dorarlas por el otro lado.

4. Se sirven calientes acompañadas de mantequilla y de miel de abejas o con almíbar de arce, "maple syrup", también calientes.

Valor Nutricional Ración	
Ración:	1 unidad (50 g)
Cantidad por ración:	
Kcal	85,5
Proteínas	3 g
Grasa	1,5 g
Carbohidratos	15 g
Intercambios aproximados:	
Lista 4=1	●

Quesos:

Queso Paisa, mozarella, cabra, guayanés o cuajada o rallado

Valor Nutricional Ración	
Ración:	(30 g)
Cantidad por ración:	
Kcal	75
Proteínas	7 g
Grasa	5 g
Carbohidratos	-
Intercambios aproximados:	
Lista 5=1	●

Queso ricotta o requesón

Valor Nutricional Ración	
Ración:	1/4 de taza
Cantidad por ración:	
Kcal	55
Proteínas	7 g
Grasa	3 g
Carbohidratos	-
Intercambios aproximados:	
Lista 5=1	●

Queso a la plancha

Valor Nutricional Ración	
Ración:	(30 g)
Cantidad por ración:	
Kcal	75
Proteínas	7 g
Grasa	5 g
Carbohidratos	-
Intercambios aproximados:	
Lista 5=1	●

BIBLIOGRAFÍA

American Diabetes Association. The American Dietetic Association. The new family cook book for people with diabetes. New York: Simon and Shuster (2007).

American Diabetes Association: Evidence Based Nutrition Principles and Recommendations for treatment and prevention of Diabetes and related Complications. Diabetes Care, Volume 32, Suplement 1 (January 2009).

American Diabetes Association. La Guía de la Diabetes sobre opciones de alimentos saludables (2010).

Beaser R . The Joslin Guide to Diabetes. (2da Edición) New Cork: Fireside (2005).

Englyst KN Rapidly available glucose in foods: an in vitro measurement that reflects the glycemic response. Am J Clin Nutr (1999); 69 :448-454.

International Diabetes Federation (2007). Diabetes Atlas cuarta edición.

Luis A. y Sastre: Nutrición Artificial en la Diabetes Mellitus. Nutr y Obesidad, (1998). 1:193-197.

Scannone, Armando: MI COCINA a la manera de Caracas (25 aniversario. 2007) Editorial Arte, S.A. Caracas.

Scannone, Armando: MI COCINA a la manera de Caracas II (15 aniversario. 2009) Editorial Arte, S.A. Caracas.

Scannone, Armando: Menús de MI COCINA a la manera de Caracas (2006) Editorial Arte, S.A. Caracas.

The Diabetes Control and Complications Trial Research Group:The effect of intensive treatment of Diabetes on the development and progression of long term complications in insulin dependent Diabetes Mellitus. N Engl Med. (1993) : 329: 977-86.

Uk Prospective Diabetes Study (UKPDS) Group: Intensive blood glucose control with sulphonylureas or insulin compared with conventional treatment and risk of complications in patients with type 2 diabetes. Lancet (1998); 352: 837 -53.

Este libro se terminó de imprimir
en el mes de noviembre de 2010
en los talleres gráficos de
Editorial Arte, S.A.
Caracas-Venezuela.

MI COCINA

ligera

a la manera de Caracas

a la manera de Caracas

MI COCINA

a la manera de Caracas

MI COCINA

MI COCINA

ligera

a la manera de Caracas